MYEK

Ik en de dikke man

T0111744

Gemeentelijke Hoofdbibliotheek Beveren

Van Julie Myerson verscheen eerder bij Archipel:

Hier gebeurt nooit wat

Julie Myerson

Ik en de dikke man

Vertaald door C. M. L. Kisling

Gemeentelijke Hoofdbibliotheek · Beveren

ARCHIPEL

Amsterdam · Antwerpen

Voor Ruth Picardie

Copyright © 1998 Julie Myerson
Copyright Nederlandse vertaling ©2005 C.M.L. Kisling/
Uitgeverij Archipel, Amsterdam
Oorspronkelijke titel: *Me and the fat man*
Uitgave: Fourth Estate Limited, Londen

Niets uit deze uitgave mag worden verveelvoudigd en/of openbaar gemaakt,
door middel van druk, fotokopie, microfilm of op welke andere wijze ook,
zonder voorafgaande schriftelijke toestemming van Uitgeverij Archipel, Herengracht 370-372, 1016 CH Amsterdam. *No part of this book may be reproduced
in any form, by print, photoprint, microfilm or any other means, without written
permission from Uitgeverij Archipel, Herengracht 370-372, 1016 CH Amsterdam.*

Omslagontwerp: Tinck Shangbo
Omslagfoto: Hollandse Hoogte/Photonica
Auteursfoto: Nigel Spalding

ISBN 90 6305 145 X / NUR 302
www.boekboek.nl

I

Ik ging op een klam groen bankje in de blindentuin zitten wachten tot er een man zou komen, en dat was altijd wel het geval.

Hoe langer je wachtte, hoe stiller je bleef zitten, hoe dichterbij hij kwam.

Eerst deed hij net of hij haast had, hield zijn blik op de grond gericht, was misschien door het zwarte draaideurtje gekomen in Quiet Street, om een binnendoorweggetje naar de hoofdstraat te nemen, of op weg naar de NCP parkeergarage waarvan het rode licht altijd op VOL stond.

Misschien hield hij vaart in en stopte bij de herentoiletten – een lang, groezelig gebouw met een scheefhangend bord en een donkere heg eromheen. Maar je kon erop rekenen dat hij niet lang binnenbleef – ik stond er altijd van te kijken hoe efficiënt hij binnen en buiten wipte. Daarna liep hij langzamer – opgelucht, keek om zich heen. Misschien stopte hij even om een sigaret op te steken, keek op, deed net – dat doen ze allemaal – of hij me niet zag, om dan langzaam naar me toe te komen en lui op de bank te gaan zitten.

Hallo, zou je willen zeggen. Maar dat deed je niet. Je bleef koeltjes voor je uit kijken, alsof je nooit met vreemden sprak. Waarom zou je?

Hij deed net of hij niet wist dat ik er zat of dat het hem niet kon schelen, en misschien had hij een aktetas bij zich of misschien niet. Hij kon ook een gewone plastic zak bij zich hebben, kreukelig en zwart geworden van het vele gebruik.

Dit exemplaar had geen tas, niets. Hij had een soort windjack aan, donkergroen met een paar oranje strepen en een soort sportmotief van twee speren en een vlam. Tamelijk nieuwe gymschoenen en een spiksplinternieuwe leren hondenriem – zo'n gevloch-

5

ten ding – maar geen hond.

Hond kwijt? vroeg ik vriendelijk.

Nee – hij stotterde een beetje – nee, hoor.

En hij kijkt naar me – heel even maar, met opgetrokken wenkbrauwen, en kijkt dan weer weg, een verzengende blik. Hij is niet half zo oud als hij vanuit de verte leek, maar behoorlijk chagrijnig. Schone nagels, maar vuile handen, zwart in de kloofjes als een automonteur.

Het waait en de wind blaast snel om ons heen, tilt bladeren op, laat ze weer vallen. Stof en gruis stuiven tegen je benen.

Hij diept sigaretten op, biedt me het verkreukelde pakje aan. Ik trek er eentje uit en als hij zich naar me overbuigt om me een vuurtje te geven, vang ik per ongeluk een vleug van zijn adem op – een uur gezopen en weinig tijd met een tandenborstel doorgebracht.

Met de sigaret tussen mijn lippen rits ik mijn jack open en haal mijn haar tevoorschijn, een klein staartje, maar fris gewassen en blond, zoals ze het graag hebben. Als het kroezelig wordt – van opwinding, zweet, regen – doe ik er gel in, van die groene die naar snoepjes ruikt. Soms vlecht ik het, trek het uit mijn gezicht: op het werk gelden voorschriften voor hygiëne en dat is normaal.

Nu trek ik het slappe elastiek eraf met de twee plastic balletjes die klikken. Schud het los – zwif, zwif – wacht op zijn reactie.

Hij kijkt naar het plekje van mijn hals waar mijn borsten beginnen. Wat ziet hij nu eigenlijk? Plat grietje met een katoentje aan? Of weelderige tieten, sappig fruit en prima speelgoed?

Geef je ogen maar de kost, zeg ik.

Ik neem een flinke haal en laat de rook langzaam ontsnappen. Hij doet zijn best om te lachen, zenuwachtig als hij is.

Je laat me niet veel zien, zegt hij.

Hoeveel wil je?

Wat heb je te bieden?

Wil je ergens heen gaan?

Hij wendt zijn blik af en lacht alsof hij zijn oren niet gelooft, of alsof dit hem altijd overkomt, alletwee. En als hij zijn ogen weer op mij richt, is het afgelopen met de flauwekul.

Waarheen dan?

Ik heb wel een adres.

Bij jou?

Bij iemand anders.

Wat vraag je ervoor?

Zoals gewoonlijk verzin ik iets, het grootste bedrag dat ik durf te noemen. Vroeger speelde ik winkeltje met Sally – haalde stapels blikjes uit de kast voor elk geboden bedrag, omdat het geld (zwaar, vuil, oud geld) toch niet echt was.

Nu is het geld nog steeds onwerkelijk. Soms verzin je een groot bedrag, gewoon voor de lol om te kijken hoe ze reageren. Soms – blond haar, glimp van een tiet, lekker gewillig mokkel – krijg je het.

Hij windt de hondenriem om zijn hand, rolt hem langzaam weer af. Oké, zegt hij.

De kamer was te heet en stonk naar muffe adem en vuil ondergoed, pas op, niet het mijne. Ik zat gewoonlijk in de andere kamer, aan de voorkant, die schoner en veel lichter was, maar vandaag niet beschikbaar – dat zag je omdat de deur dicht was en er een stoel voor stond met een kartonnen doos over de rugleuning.

Mara haalde de sleutel weg als je niet betaalde – of ze stuurde haar meid om je te komen storen, ook al zat je met een klant. Viel te begrijpen. Als je het deed, kon je de huur betalen ook. Maar ik had korting. Waarom? Ik weet het niet, misschien mocht ze me wel. Ik was de jongste, de blondste, had het beste figuur, was het minst versleten. Ik was getrouwd dus ze beschouwde me als schoon. Ik huurde de kamer per keer, als er een vrij was tenminste. Dat wist natuurlijk niemand; Mara was daar goed in.

Hij was zwijgzaam, tamelijk beleefd, en wilde er snel aan beginnen. Ik was blij toen hij de hondenriem neerlegde.

Ik heb geen hond, zei hij toen ik zijn rits opentrok, ik vind het gewoon een prettig gevoel, begrijp je?

Ik zei niets. Ze verwachten geen speech van je, zouden je trouwens niet horen.

Dat praten over die hondenriem had gewerkt, hij was stijf.

Ik heb dit nog nooit gedaan, zei hij, kijkend naar de rechte hoek tussen pik en kruis.

Maak mij wat wijs, dacht ik. Hij keek naar de Durex en zei, ik betaal een tientje meer zonder en ik zei dat hij zijn mond moest houden, dat ik het voor het zeggen had.

Hij maakte een klikgeluidje in zijn keel en terwijl ik de Durex afrolde en voorzichtig omdeed kuchte hij om niet te laten merken hoe opgewonden hij was. De rubberachtige geur maskeerde de visgeur van zijn pik, een geur die ook in het ruwe krulhaar aan de basis zou hangen. Ik had geleerd mijn adem in te houden en mijn verstand op nul te zetten terwijl ik bezig was.

Het was allemaal in minder dan een minuut voorbij.

Ik veegde mijn vingers af aan een kleenex. Thuis zou ik mijn mond spoelen met ontsmettend mondwater.

Hij ging weg, de hondenriem bungelde uit zijn kontzak. Ik keek of het geld nog steeds lag waar ik het gelegd had. Ik ging meteen naar de bank en zette het op mijn spaarboekje.

Het was een verrot lange winter geweest en ik was het spuugzat om rond te rennen met andermans stinkende jassen. Daar kwam nog bij dat Mervyn, de tweede kok, een oogje op me had en daar begon ik flink van te balen. En dan had je ook nog het overlijden van Tante tijdens het werk.

Tante was niet echt iemands tante, we noemden haar gewoon zo. Ze was al sinds mensenheugenis bij Greenaway's, vouwde servetten en zorgde voor het linnengoed, boven aan de trap.

Die ochtend viel ze gewoon naar beneden en tegen de tijd dat ze de onderste trede had bereikt leefde ze niet meer. Ik had nog nooit een dood mens gezien tenzij je mijn moeder meerekent die uit de zee werd gevist, maar die herinner ik me niet.

En toen kwam hij binnenlopen.

Een man flink voorbij middelbare leeftijd, het intelligente, ongeordende type – slordige, versleten kleding – maar mij neemt-ie niet in de maling. Je kan zien dat hij er warmpjes bij zit, naar een dure school is geweest en zo. Rijk is iets raars. Je hebt miljonairs die eruitzien als landlopers – die met moddervet haar rondlopen, en alles wat maar naar rijk *ruikt* verbergen alsof het een spelletje is. Ze kunnen het gewoon niet helpen. Geef ze een beetje bijscholing en ze kweken nog rouwnagels ook. Misschien overdrijf ik, maar toch zit er iets in.

Ik heb niet gereserveerd, zegt hij en hij steunt met een redelijk schone hand op het tafeltje bij de haard. Is er nog een tafel voor één persoon?

Geen probleem, zeg ik omdat het rustig is vandaag – ik hoef zelfs niet in het boek te kijken – en dat is maar goed ook omdat er dus net iemand van het personeel is doodgevallen. Ik vraag hem of hij eerst boven iets wil drinken – dat willen ze meestal wel – en ik kijk even naar binnen en zie dat Paula zo snel als ze kan de tafels aan het dekken is. We lopen met alles achter.

Hij zegt dat hij dat wel wil. Iets drinken.

We lopen de bruine trap met de goudglimmende roeden op en op een of andere manier moet hij al iets in me losgemaakt hebben want ik zie het allemaal door zijn ogen – de muurverlichting die gemaakt is van schoven gele tarwe waar een lampje doorheen steekt, prenten van rauwe etenswaren zoals knoflook en uien en bessen langs de hele muur naar boven en afbeeldingen van spatels en opscheplepels en scherpe messen als je weer naar beneden gaat.

Je bent niet van hier, hè? zegt hij, en ik schrik – eerlijk gezegd ben ik bloednerveus.

Vanwege je accent, zegt hij, dat is niet van hier.

Ik vertel hem dat ik in Londen heb gewoond, maar dat ik vorig jaar naar hier ben verhuisd. Waarom zou ik een vreemde de hele waarheid vertellen?

Heerlijke stad, zegt hij, ik woon zelf mijn hele leven al hier.

Dan bekijk ik hem eens goed. Hij ziet er een beetje oud uit. Er prikken rosse baardstoppels door zijn bleke huid, maar het haar op zijn hoofd is bijna wit. Als hij in zijn handen wrijft, draait er een zegelring rond aan een vinger.

Om kwart over twee moet de tafel weer vrij zijn, zeg ik.

Prima.

Ik geef hem het menu, probeer dan de haard aan te steken, wat altijd een rotklus is.

Je hand trilt, zegt hij, en ik beken dat ik stijf sta van de zenuwen omdat we nog maar een uur geleden een ernstig ongeval hebben gehad.

Goh, zegt hij, en denkt waarschijnlijk dat iemand in zijn vinger heeft gesneden of zich heeft verbrand of iets dergelijks.

Beneden, zeg ik, draaiend aan het gaskraantje omdat al die stomme lucifers uitgaan. Iemand die hier werkt. Werkte, moet ik zeggen.

Kan ik helpen?

Laat maar – het blok namaakhout schiet eindelijk aan en de namaakvlammetjes beginnen eraan te likken. Ik wiegel weer terug op mijn hoge hakken.

Wat voor ongeluk? vraagt hij.

Nou (onder het spreken zie ik dat er as op het tapijt ligt en naast zijn elleboog staat een schoteltje met uitgespuugde olijfpitten van gisteravond) er is iemand van de trap gevallen en overleden.

Nee toch! – hij is helemaal ontdaan.

Ja, ja, nog maar net geleden. Vreselijk.

Ik haal mijn schouders op om te laten zien hoe hard ik ben en dan kijk ik hem recht aan en ik kan er niets aan doen, maar dan schiet ik onbedaarlijk in de lach.

Ik was in de zomer begonnen met mannen op te pikken, dus je kan wel zeggen dat het een nogal recent iets is.

Sommige mensen hebben misschien vooroordelen. Vinden het misschien raar, een perverse bezigheid, omdat ik niet blut was en ook niet alleenstaand – waarom zou je jezelf verkopen als je een man hebt die geld thuisbrengt? – en dat nog boven op mijn niet onaardige weekloon van Greenaway's.

Toen ik eraan begon maakte ik mezelf van alles wijs. Mijn moeder had haar lichaam niet bepaald voor zichzelf gehouden (brachten mijn pleegouders me graag in herinnering) dus waarom zou ik dat dan niet ook doen en in ruil voor iets anders? Het ging me vooral om de spanning, maar ook om het geld – geheim geld, snel geld, geld dat helemaal van mij was.

Want mijn gedachten hoeven zich niet op dezelfde plaats als mijn lijf te bevinden. Mijn ziel zit niet in mijn mond – maar heel wat mannen zouden er een smak geld voor over hebben om zich daar wel te bevinden.

Ik ben een leuk, evenwichtig meisje, zei ik tegen mezelf, een meisje op zoek naar een beter leven. Ik kan niet mijn hele leven serveerster blijven en jassen aannemen. Ik ben zevenentwintig, zie er knap uit. Ik heb nooit iets tegen seks gehad en ik heb nooit geld van mezelf gehad, in ieder geval niet van die biljetten die sneller binnenkomen dan ze eruit gaan – niet zoveel dat je de bankbriefjes in de lucht kan gooien en ze rond je hoofd weer naar beneden dwarrelen.

Je kon mannen aftrekken voor dat soort geld – een paar snelle bewegingen vanuit de pols – terwijl het je met een baantje jaren zou kosten en het geld maar langzaam in je handen zou druppelen als een Chinese martelmethode, zo weinig en schriel dat het weer door je vingers glipt voor je er plezier van hebt gehad.

Op deze manier krijg je de briefjes echt te voelen, dik, warm zwaar geld in je tas. Het is van mij, dit geld – en trouwens, het wordt gemakkelijk als je het een paar keer gedaan hebt – je leert je afkeer opzij te zetten. Een mens went overal aan: denk maar aan begrafenisondernemers, of die arme drommels die rondwroeten op de plaats van een misdrijf, of medische studenten.

Je pikt ze dus op in dat park, neemt ze mee, neemt hun geld, en laat ze weer gaan. Ze betekenen niets voor me, die mannen, met hun hart dat tekeergaat onder hun colbertje als ze zich er helemaal aan overgeven. Ik zou hun pik kunnen afsnijden als ik dat wilde. Wie weet of ik geen mes bij me heb? Hun hoofd ligt achterover in extase en ik zie alleen maar die adamsappel op en neer dansen on- der dat dunne, witte vel. Uiteindelijk gaan zij weg en blijft alleen het geld achter.

Het is niet hun schuld. Ik neem het ze niet kwalijk. Ik neem het de hormonen kwalijk en de eenzaamheid van hun saaie baantje. Door de ochtendkou naar hun werk, krantje lezen, de advertenties met slipjes of tieten. Bij mij krijgen ze de kans om op te bloeien en over te stromen.

En ik doe geen rare dingen, gewoon pijpen of aftrekken en al- tijd met een condoom. Hoe bronstiger ze zijn, hoe sneller het gaat. Soms ben ik binnen en buiten in vijf minuten, misschien zeven. Soms zit ik nog geen tien minuten later al met een peuk aan de koffie.

Dat komt door de schok, zei hij. Ontspan je maar en gooi het er allemaal uit.

Ik hapte naar lucht, veegde mijn ogen af met een theedoek.

Ik mag eigenlijk niet lachen, zei ik. Want inmiddels, hoewel ik nog aan het lachen was, gaven de spieren in mijn gezicht aan dat ze wilden omschakelen naar huilen.

Het geeft niet, zei hij – alsof er voortdurend vrouwen instortten in zijn aanwezigheid.

Hij leunde met zijn hoofd tegen het kussen van de sofa. Zijn blik was rustig en neutraal. Hij verstrengelde zijn vingers één voor één, als een spelletje.

Hij had van die ogen waar je niet in kan kijken maar waarvan je weet dat er zich heel veel in afspeelt. Ik weet niet wat hij zei maar ik liet zijn stem in mijn hoofd binnen alsof het muziek was of slaap.

Het is al over, zei ik, en dat was ook zo.

Ik ging de zonwering optrekken en het zonlicht maakte de kamer aangenamer. Ik haalde het schoteltje met olijfpitten weg, niet dat híj er last van leek te hebben, maar ík had er last van.

Ik denk dat je een aardig meisje bent, zei hij.

Ik lachte.

Je lijkt in elk geval aardig.

Wilt u horen wat we vandaag te bieden hebben? zei ik en ik begon met de gebakken heilbot met *salsa verde*.

Je zou Gary moeten leren kennen, zei hij, me in de rede vallend.

Gary?

Mijn – nou ja – je zou hem wel mogen. Hij zou jou wel mogen.

Ik keek naar hem. Uw wat? zei ik.

Wat?

Wie is Gary?

Er was een zekere intimiteit tussen ons, dus het leek wel in orde om direct te zijn. Maar om eerlijk te zijn stond ik in tweestrijd tussen willen weten en willen doorgaan met opsommen wat er die dag allemaal vers was. Al die dagschotels zaten in mijn hoofd te wachten om eruit te springen.

Hij is mijn huurder, zei hij.

Waarom zou ik hem moeten ontmoeten?

Hij lachte. Amy, zei hij, o, Amy...

Ik moet hem nogal stom hebben aangekeken, omdat hij zei, oké, arm kind, ik zal open kaart met je spelen. Ik herkende je zodra ik binnenkwam en ik ben er nog beduusd van, ik kan het niet geloven – het is alsof ik haar weer zie, of ik Jody weer zie. Ik heb je moeder nog gekend. De laatste keer dat ik jou heb gezien was op het eiland en toen zat je spiernaakt pijnappels te kraken met een keitje.

Op school moest je je levensverhaal schrijven. Het mijne was nogal kort en lief.

Ik ben geboren op het eiland Eknos uit een tiener die Jody heette, die verdronk toen ik zes jaar was. Jody kwam uit St. Albans. Ze heeft nooit veel tegen me gezegd. Mijn vader kan ook Engels zijn geweest – of Grieks of Duits. Misschien Amerikaans. Ik denk inderdaad dat Jody bijna iedereen heeft geneukt die van die veerboot stapte.

Jody's ouders hadden gezegd dat ze niets meer met haar te maken wilden hebben, dus toen ze stierf, werd ik in een pleeggezin geplaatst in Londen.

In het opstel zei ik niets over dat neuken. Ik wilde normaal zijn zoals alle andere marineblauwe meisjes, dus schreef ik niet veel op. Ik zei dat mijn vader Brian heette en mijn moeder Eileen en dat Brian een baard had en Eileen rode plekken waar haar bh-bandjes schuurden.

Als mensen je ouders niet zijn, zie je ze duidelijker.

Toen ik zeven was moest ik naar iemand toe om over Jody te praten. Mensen waren gefascineerd door mijn moeder. Volwassenen werden nog steeds opgewonden of boos als ze over haar spraken als ik de kamer uit was – dat kon je horen omdat de geluiden veranderden als je de deur opendeed.

De man hield mijn schouder te hard vast en vroeg me aan het eiland te denken en dan te vertellen wat ik zag.

Ik zag niks en dat ergerde hem.

Probeer je te concentreren, Amy, zei hij. Hoe voel je je wanneer ik over je moeder praat?

Rot? raadde ik.

Hij wikkelde het papiertje van een snoepje – een heerlijke, zurige geur. Hij draaide het expres om in zijn hand zodat ik kon zien dat er een roze en een groene kant aan zat. Waar de kleuren elkaar raakten liepen ze door elkaar. Hij zei dat ik het mocht hebben als het gesprek voorbij was.

Ik beet op mijn vingers met mijn voortanden, maar hij maakte een afkeurend geluid en trok mijn handen weg van mijn gezicht.

Foei, zei hij. Mag niet.

Eileen keek naar Brian. Brian keek weg, toen naar de grond, toen weer naar de man.

Amy, zei de man hardop alsof hij wilde dat iedereen het zou horen, waarom begin je op je nagels te bijten wanneer ik het over je moeder heb?

Ik zei niets.

Eileen zuchtte. Ze had kleine rode adertjes op de zijkant van haar neus, alsof ze haar hele leven in de koude wind had gestaan. Ik liet mijn handen zakken en probeerde op de binnenkant van mijn wangen te bijten. Ze keken allemaal naar me. Ze dachten dat ze me doorhadden.

Eileen is inmiddels dood en begraven en Brian en mijn pleegzusje Sally spelen geen rol in dit verhaal. Ze zeggen dat het leven een reeks keuzes is, maar ik weet het niet. Tot dusver zijn het altijd andere mensen geweest die me dingen aangedaan hebben – met me trouwen, papieren ondertekenen die mijn leven bepalen, me de keel uithangen en zo.

Als je eens wist hoe hard we ons best doen voor je, zei Brian knarsetandend. Als het een film was geweest, zou hij me in korrelige schaduwtonen in mijn kraag hebben gegrepen en mijn gezicht naar hem hebben opgeheven. Maar nu ging hij door met zijn gekookte eitje te pellen, trok er de schaal en het witte vliesje vanaf met zijn nagels die hij in een puntje vijlde als hij voor het stoplicht stond. Het was raar dat een man zijn nagels vijlde. Brian – die vond dat arme mensen allemaal gesteriliseerd zouden moeten worden – was daar heel precies in.

Soms ontspande ik en vergat op het vel van mijn vingers te bijten en dan dook de oude wereld op: oude mannen die ergens in een hoekje met iets bezig waren, een vleugje zout op je huid en een vriendelijke warmte tussen mijn dijen – haar haar, zo geel als vla en dubbel zo romig.

Haar haar, zei ik. Heel veel lang haar.

Eileen knikte naar de man om te laten zien dat ik het me goed herinnerde, dat mijn moeder zulk haar had. Ik bloosde. Ik had het voor elkaar gekregen de waarheid te verzinnen.

De man had een medische opleiding. Hij zette een pot thee.

Eileen zei dat ik daar wel moest zijn opgevallen, met mijn bleke gezicht en mijn lange blonde haar.

Eknos: een ansicht in mijn hoofd van een onwerkelijke plaats – een kleurig kiekje van blauw, eindeloze zeeën en zo, waar andere mensen naartoe gaan. Zulke kruidige en uitheemse bomen dat ze haast zwart zijn, broodmagere katten die op tafels liggen te slapen en konijnen die op kippengaas zitten zodat hun keutels op de grond vallen, geen troep.

De konijnen worden gehouden om op te eten, niet als huisdier, dus het kan niemand iets schelen. Ik zit onder de naar pis stinkende hokken en rol de keutels tussen mijn vingers – arme konijnen, zitten te wachten tot zij eindelijk naar buiten komt. Mannen rijden op brullende motoren – roepen dingen, naakte harige armen aan het stuur. Ze zetten me op de motor en laten me zien hoe de versnelling werkt, maar ik kan er niet bij met mijn voeten. Motor wankelt. Zij vangt me op – is er plotseling – en we gaan naar binnen. We horen bij elkaar, ik en mijn nauwelijks herinnerde vorm van een moeder.

Dat doet me eraan denken, haar vorm: lang en mager met borsten die plotseling naar voren springen – een dak boven mijn hoofd. Dan haar buik, die snel groeit, haar verbazingwekkende navel – binnenstebuiten en lichtbruin als het kapje van een ei. Hoe ze een sigaret rolt, haar likkende tong, hoe ze hem opsteekt. Haar haar is een breed, ver gordijn – het sluit me af van de verblindende hemel wanneer ik ga slapen in haar schaduw.

In de olijfbomen hangt op z'n kop een blauw geschilderde stoel en over de boomstronken zitten papieren zakken. In de winter brult de zee onder ons. Maanden van alleen haar geur, haar vage aanraking, anders niets.

Ik wist niet hoe Tante met haar achternaam heette, maar Hetty zal het wel geweten hebben voor op de loonstrookjes.

Ze was rond de tachtig – echt waar – en toch deed ze nog steeds oogschaduw op, dik en glimmend tot aan haar wenkbrauwen. Ze zorgde voor dat linnengoed alsof ze de enige mens ter wereld was die dat werk kon doen, maar wij hadden het stuk voor stuk in de helft van de tijd kunnen doen.

Ze werd elke ochtend om dezelfde tijd afgezet door een taxi. Ze verwisselde haar laarzen voor gemakkelijke schoenen en deed een nylon schort aan met renpaarden erop. De hele ochtend zat ze op haar stoel boven aan die steile trap met haar gezicht richting linnenkast.

Daar zat ze twee uur lang schone servetten uit te halen, de plastic band door te knippen en ze op te vouwen. Ze had een bierglas vol keukensherry in de kast staan en was behoorlijk teut tegen de tijd dat ze wegging om twaalf uur.

Ze sprak graag over seks met Jack.

Ik durf te wedden dat je wel een paar harten hebt gebroken, hè Tante? zei hij dan, terwijl hij kalfsniertjes in de hete pan liet glijden. Dan tuitte ze haar oude lippen, probeerde niet te laten merken hoe leuk ze het vond dat hij dat zei. Ja, zei ze, dat moest ze toegeven, maar dat ging ze hem niet allemaal aan zijn neus hangen, en God hield nu toch van haar.

Als Jack lachte met zijn hoofd in zijn nek, kon je dat kleine dingetje achterin zijn keel zien flapperen, rozig nat.

Tante was van plan om genoeg geld te sparen voor de jumbojet naar Australië om haar nicht te bezoeken – als God het wil, zei ze altijd – maar voorzover wij wisten was ze al jaren aan het sparen en nu zag het er niet meer naar uit dat ze nog zou gaan, dus moest je maar aannemen dat God het niet zo'n geslaagd idee had gevonden.

Paula zei dat ze was gestorven met haar mond en ogen wijdopen en dat ze alles had laten lopen op de vloer. Soms, als ik eraan denk hoe mensen op de wereld komen, bleek en zacht en schoon – en dan aan hoe ze sterven in hun eigen vuil, dan vind ik het allemaal maar niks.

Jack zei dat we allemaal een flinke borrel mochten inschenken van het huis. Ik denk dat Mervyn er meer dan één achterover heeft geslagen.

Toen moesten we weer aan het werk zoals na een brandalarm-oefening – door met de show. Er hadden mensen gereserveerd en er was geen sprake van afzeggen. Een groep van tien Japanse afgevaardigden zou om kwart over één komen. Tante zou het niet anders gewild hebben en dat meen ik echt.

Niemand kende Jody – zo was of is Jody nu eenmaal – en het is dus moeilijk te geloven als hij zegt dat hij haar heeft gekend.

Hallo Amy, zegt hij weer, en hij laat die naam zo gewoon vallen alsof hij helemaal van hem is. Mijn gezicht wordt rood als ik mijn naam zo hoor zeggen.

Het is even stil en dan zegt hij, ga je soms wel eens naar de blindentuin in Henrietta Park?

Hoezo? Ik bloos.

Heb ik je daar niet eens gezien?

Ik kijk naar zijn sjofele trainingsbroek, zijn instappers, een hemd dat uit zijn broek hangt, een dikke trui die nog dikker is geworden in de was. Hij is minstens zestig en ik weet dat ik me hem zou herinneren als ik hem een beurt had gegeven. Hij draagt zo'n eng koperen armbandje dat je in advertenties ziet.

Ik denk aan de blindentuin, de bank met een onhandig gekerfd hart erop, de vuilnisbak vol limonadeblikjes en vuile luiers, de bloemperken, de achtergebleven rotzooi, de mannen, mijn mannen.

Nee, zeg ik, ik denk niet dat ik die ken. U moet iemand anders voor ogen hebben.

Ik pak zijn grijze jas die hij op de sofa heeft gegooid en hang hem op een knaapje, vang de zoetige geur van oud zweet op die uit de satijnen voering komt.

Ik weet het behoorlijk zeker, zegt hij. Het is dat haar. Je valt nogal op, weet je.

Ik haal mijn schouders op. Ik heb er zelfs nooit van gehoord, zeg ik.

Hij lijkt het grappig te vinden. Hij slaat de bladzijden van de wijnkaart om zonder ernaar te kijken.

Sorry, zegt hij en nu glimlacht hij. Het is gewoon zo'n enorm toeval, nauwelijks te geloven.

Ik zwijg en daardoor kijkt hij op, zoals ik verwachtte.

Hoe heb je haar leren kennen? vraag ik.

Kom erbij zitten, zegt hij, drink iets.

Sorry, dat kan niet.

Een ander keertje dan?

De klok slaat twaalf, tijd voor Tantes taxi. Ik vraag me af of iemand eraan gedacht heeft hem af te bellen of dat hij komt opdagen zoals gewoonlijk.

Doe je je werk graag? vraagt hij.

Ik haal mijn schouders op. Het is werk.

Ik vraag hem wat hij wil drinken en hij zegt een Kir. Ik veeg de rand van het glas heel goed schoon. De vuile koffiekopjes van gisteravond staan nog in de gootsteen.

Hoor eens Amy, zegt hij, ik zal eerlijk zijn. Jody was niet zomaar een vriendin. Ze was een tijdje het grootste en beste in mijn leven. Er zijn dingen die ik je graag zou willen vertellen, dingen die ik je zou willen vragen. Zullen we vriendschap sluiten? Ik zou graag wat meer tijd hebben, je beter leren kennen. Kunnen we ergens afspreken om te praten?

O, zeg ik, een afspraakje?

Hij lacht en kijkt dan treurig.

Ik heb niet zoveel tijd, zeg ik. Normaal gesproken.

Ik breng hem zijn wijn, een aardewerk schaaltje met geroosterde noten. Hij heft zijn glas – op jou, zegt hij.

Hoe heb je haar leren kennen? vraag ik.

Dat is een lang verhaal.

Waar zouden we afspreken?

Paula komt de trap op met de citroenen en we kijken alletwee naar haar. De geur van haar handcrème hangt in de lucht als ze weer weg is.

Hij zegt dat we zouden kunnen afspreken in de blindentuin en ik zeg nee. Hij begint te vertellen dat er allemaal zeldzame planten staan – met alle namen er in braille bij – en ik zeg, dat zal wel, maar...

Je zit er heel privé, zegt hij.

O ja, zeg ik, omdat niemand je kan zien zeker?

Hij lacht.

Ik weet niet waar het is, zeg ik nog eens, waarom daar? Waarom sta je daar zo op?

Hij pakt de krant van gisteren van de tafel en begint te lezen. Ik hoop dat we vriendschap kunnen sluiten, zegt hij zonder op te kijken. Ik heet Harris.

Harris hoe?

Gewoon Harris.

Hij heeft een paar getallen met balpen in de palm van zijn hand geschreven als een kind. Zijn pols is zo wit en haarloos dat ik erin zou kunnen bijten.

De eerste man die ik heb gepijpt voor geld was Guy Carroll, een oud schoolvriendje van mijn echtgenoot.

Hij belde me op mijn werk de dag nadat we elkaar hadden ontmoet op een feestje en nodigde me uit voor de lunch. Achter de rug van mijn man – in het geheim, stiekem. We hadden afgesproken op zijn club. Mijn man was naar een chique school geweest maar was zo'n type dat versleten jasjes draagt en zijn afkomst ontkent. Guy was precies het tegenovergestelde. Hij had bankiershaar – dikke, volle, korte krulletjes die op zijn schedel leken geplakt. Hij stond stijf in de houding en droeg manchetknopen en er zaten massa's mee-eters achter op zijn nek die je graag zou willen uitknijpen.

Ik at drie gangen, hield hem bij.

Moet je niet aan de lijn denken? vroeg hij, en je zag dat dit volgens hem het soort dingen waren die je hoorde te zeggen tegen een vrouw.

Hij praatte hard, keek de hele tijd recht voor zich uit. Telkens als zijn mond openging zag je het vlees grijzer en zachter worden. Nu en dan veegde hij zijn mond af of schoof zijn pols uit het manchet om te kijken hoe laat het was. De obers liepen af en aan, vroegen of het smaakte en vulden de wijn bij. Ik schonk er eentje zo'n schuine blik, om te laten zien dat het allemaal niks voorstelde met Guy.

Hij vertelde me over toen hij officier in het leger was geweest – hij was zo dom als het achtereind van een varken – en nu was hij bankier. Ik wist eigenlijk niet wat ik daar zat te doen of wat er gebeurde – alleen dat hij voortdurend die grijns op zijn gezicht had, alsof we alletwee iets wisten wat we niet wilden toegeven.

Je mag me niet, zei hij plotseling, en hij liep rood aan omdat hij zichzelf zo knap vond dat hij dat bedacht had.

O, loog ik, dat gaat wel.

Waarom precies mag je me niet? Zijn ogen lichtten op met beschuldigende groene vlekjes.

Nou, goed dan, je bent een klootzak, zei ik.

Dat leek hij leuk te vinden. En wat nog, schatje?

Je bent zo verdomd gespannen, zo middelbare leeftijd-achtig.

Hij sloot zijn ogen. O ja?

Je denkt dat je heel wat bent omdat je geld hebt.

Geld. Heb ik dat? Wat nog?

Niks.

O, kom op, zei hij, er zal heus nog wel wat zijn.

Ik vond het wel een leuk spelletje. Het was alsof je de zapper van de tv in je hand had en van zender veranderde of er nu een vervelend programma bezig was of niet, gewoon maar om die klik te horen.

Toen we in zijn hotel waren deed hij een condoom aan en mocht hij hem in mijn mond steken. De tv stond aan zonder geluid en Crufts* was bezig. Ik hou van honden en dus duwde ik een kussen onder mijn hoofd en keek vanuit mijn ooghoek en daardoor dacht ik niet aan het oprekken van mijn lippen en het zure gebons van zijn rammende pik.

Hou je van honden? vroeg hij me toen hij was klaargekomen en het speentje aan het einde vol en warm was.

Ja, zei ik meteen, ik zou ze graag fokken en shows lopen.

Hij lachte. Mijn man en ik hadden een bobtail, Megan, maar ze was eigenlijk zijn hond, niet de mijne. Ik hield niet echt van haar en ze ging altijd liever naar hem toe dan naar mij, ook al gaf ik haar te eten.

Ik bleef naar het scherm kijken, maar Guy wilde me weg hebben. Hij deed het rubbertje af en stopte zijn handel weer in zijn onderbroek. Een Lurcher** zou het gaan winnen, dat wist ik ge-

---

*Jaarlijkse hondententoonstelling in Birmingham. (Noot van de vert.)
**Een soort jachthond. (Noot van de vert.)

woon. En toen, nadat hij zijn broek had aangetrokken, stopte hij zijn hand in zijn zak en haalde er drie gloednieuwe, roze bankbiljetten uit.

Wat is dat? vroeg ik.

Voor de moeite, moppie.

Kapsoneslul, dacht ik, en ik wilde ze naar hem teruggooien maar toen dacht ik wat ik ervan kon kopen als ik ging winkelen. Pak maar aan, fluisterde een kalm stemmetje in mijn hoofd.

Oké, zei ik, en pakte mijn tas. Hij keek toe hoe ik het in mijn portemonnee deed en de rits weer dichttrok. Hij zag dat ik nog steeds naar de honden keek op de tv en intussen kalmpjes zijn geld aannam en hij likte zijn lippen die al vochtig waren.

Daarna kwamen we af en toe samen tot hij werd overgeplaatst naar het buitenland. Hij liet een groot gat achter dat ik graag weer zou opvullen, en dus ging ik op een dag naar de blindentuin en voegde de daad bij het woord.

Het was vlak voor de lunch, twee of drie dagen na het bezoek van Harris. Ik had het koud buffet klaargezet en de tafels afgenomen en rolde snel een sigaretje aan de toog in de keuken toen Paula kwam zeggen dat er iemand naar me vroeg.

Ik nam een slok van mijn frisdrank. Wie?

Paula haalde haar schouders op. Een stel kerels.

Welke tafel?

Er is er maar één bezet.

Met tegenzin legde ik mijn peuk weg.

Jack was haast klaar met de *confit de canard* toen ik langskwam maar we hadden nog niet te horen gekregen wat de dagspecialiteiten waren of iets op het bord geschreven. Ik liep erheen. Er wentelde een wolk van stof in een lage zonnestraal en je rook het tamelijk nieuwe tapijt. Het was die Harris, hij zat de krant te lezen met een jonge en nogal lelijke moddervette gast naast hem.

Hij glimlachte naar me alsof ik zojuist iets bijzonder grappigs had gezegd.

Ik heb toch gezegd dat ik Gary zou meebrengen, zei hij.

Gary en Amy. Amy en Gary. Gary en Amy en Harris. En Jimmy. Jimmy. Er valt een schaduw over je leven en je hart krimpt ineen als je die namen zegt.

Gary was een jaar of dertig en je kon er niet omheen, de man was dik. Hij was héél dik – ik bedoel, hij had een probleem. Ik zou het zeker geweten hebben als ik hem al eens een beurt had gegeven; ik kan me voorstellen dat je nogal zou moeten graven in al dat vlees om die garnaal van hem te vinden en dat je zou stikken in al die kwabben. Kleine, donkere ogen en een donkere huid en zwart haar. Een groot hoofd en kleine engelachtige lippen – mollige handen, dikke dijen die spanden in zijn broek en een ruim bruin corduroy jasje. Met zijn ogen half gesloten zag hij eruit alsof hij nergens wilde zijn en vooral niet hier.

Ik kon het niet helpen, ik stond maar naar hem te staren, hij vulde mijn hele blikveld.

Harris had zich geschoren en zijn gezicht was dus helemaal bleek en glad en hij had kleren aan die er nieuw uitzagen. Hij zag er eigenlijk uit als een gewiekste tv-persoonlijkheid – vol spetterende kwinkslagen en grapjes, een beetje knap en een beetje verwaand.

Dit is Amy, zei Harris tegen hem. Wat een wonder hè? Ik kan het nog steeds niet geloven. Ik liep gewoon naar binnen en daar was ze.

Dat heb je al gezegd, zei Gary.

Zeg dan gedag, zei de oudere man.

Dag, zei Gary.

Hij bekeek me nauwelijks, totaal geen interesse. Ik probeerde de relatie te beoordelen, vroeg me af of ze een stel waren – er zat heel vaag iets zachts aan de dikke man. Maar ik kon me Harris niet goed voorstellen in bed met een kerel. Ik zette wat brood op tafel en bracht de menu's en ze waren er even mee in de weer en bestelden een fles Saumur en ik ging weg.

In de keuken was Karen bezig de dagspecialiteiten op te schrijven. Het haar in haar nek was opgeschoren – je zou haar willen aaien als een huisdier.

Nou, wie was het, vroeg Paula.

Niemand, zei ik, en deed de bestelling van de wijn op de prikker.

Achterin probeerde Mervyn me aan te spreken over zijn seksproblemen. Donder op, zei ik en het kon me niet schelen wat hij ervan dacht of dat iemand me kon horen.

Met jou valt ook geen lol te beleven, zei hij, terwijl hij met zijn schouder de metalen deur van de koelcel opendraaide om de slagroom te pakken. Ik ging terug naar de bar en pakte de wijn. Ik stak mijn sigaret aan en nam een trek maar hij ging uit en dus liet ik hem liggen voor als ik klaar was met Harris.

Ik zette de ijsemmer in een houder, kreeg met wat moeilijkheden de fles open en schonk hem een scheutje in om te proeven.

Woon je bij hem? vroeg ik aan Gary.

Hij haalde zijn schouders op. Min of meer, zei hij.

Kom eens lunchen, zei Harris.

Ik weet niet – begon ik, maar hij trok een stukje papier uit zijn zak en schreef er iets op.

Ik wil geen nee horen, zei hij. Het is ongelooflijk dat ik je terugzie – ik ben ervan overtuigd dat het zo moest gebeuren. Ik meen het, Amy. Ik heb je gevonden; ik kan je niet zomaar weer laten verdwijnen.

Ik keek hoe Gary op dit alles reageerde, maar hij wendde zijn blik meteen verveeld af. Zijn kont nam op het bankje de plaats in van twee personen.

Zondag? Harris gaf me het papiertje met het adres en een telefoonnummer en ik borg het op in de zak van mijn schortje. Rond een uur of één? zei hij.

Prima, zei ik. Wat kon het voor kwaad? Ik had al in geen tijden meer iets spannends beleefd.

Harris bestelde de gebakken sint-jacobsschelpen op een bedje van pasta en zeewier, de gegrilde zalm met limoen en bonensaus als hoofdschotel, Gary nam de paprikarisotto. Misschien was hij vegetariër. Die kunnen ook dik zijn.

Boven was Hetty bezig met een sollicitatiegesprek met iemand om Tante te vervangen. Ze riep ons bij elkaar en zei dat we niet over Tantes dodelijke ongeluk moesten praten, en toen zei Jack dat het verdomme al in de *Gazette* had gestaan.

Laten we nou eerst maar eens iemand vinden voor dat baantje, zei Hetty bits, dan kunnen we ons daarna wel druk maken over wie wat waar heeft geschreven.

Iedereen was ongerust en er werd heel wat afgefluisterd, maar ze hadden zich geen zorgen hoeven te maken, want geen van de gegadigden leek iets van Tante af te weten. Hetty leidde ze één voor één door de keuken en niemand keek met een blik van ontzetting naar die trap. Sommigen bleven zelfs onschuldig stilstaan precies op de plek waar ze gestorven was en stelden alleen maar vragen over werktijden en ziekteverlof.

Op de wc snoot ik mijn neus en bekeek mijn ogen eens goed in de spiegel. Ik had een bruine potloodstreep te dicht bij mijn oog gezet en dat deed me er een beetje onbetrouwbaar uitzien. Ik scheurde een stukje wc-papier af en veegde hem weg, likte daarna over mijn lippen om ze nat te laten lijken.

Toen ging ik op het gesloten wc-deksel zitten en bekeek het stukje papier. Het adres zei me niets, bevond zich in een deel van de stad waar ik wel van had gehoord, maar nooit was geweest. Het handschrift was chic en vrouwelijk, met een streepje door de zeven op z'n Frans. Ik keek er lang naar en toen stopte ik het weg en ging weer naar buiten.

Wie zijn die vrienden van je? vroeg Karen toen ik de bestelling riep naar Mervyn, ervoor zorgend niet te dicht bij hem in de buurt te komen.

Welke vrienden? Ik was die hele toestand zat. Ik lepelde *aïoli* in een schaaltje voor bij de garnalen die Paula ging opdienen.

Die twee kerels die steeds maar naar je zitten te kijken. Die grote donkere en die dunne oude.

Ik ken ze niet, zei ik en deed mijn best te geeuwen.

Je moet je wel realiseren dat wanneer je een baby krijgt als je zelf nog een kind bent, je niet weet hoe je ervoor moet zorgen, je geduld wel eens opraakt, en je niet de ideale ouder bent.

Jody had St. Albans verlaten op haar zestiende en was door Europa gaan liften met Justin Appleby. Zomaar. Had school, thuis, ouders verlaten, allemaal voor die gast. Ik heb Justin nooit ontmoet, maar ik hoor haar in mijn hoofd nog over hem fluisteren.

Hij had een lange bos haar en een slordig uiterlijk en hij gebruikte drugs en leefde van een uitkering vanwege zijn idealen. Jaren later was het nog steeds Justin dit en Justin dat. Ze was gek op hem en haar ouders waren zo dom om hem langharig tuig te noemen.

Zelfs nu nog, wanneer ik eraan denk hoe ze snierden tegen Justin, hoe ze kritiek hadden op zijn persoonlijke verzorging, dan doet het me pijn. Toen ze wegliep om te gaan reizen met Justin zei haar vader dat hij haar geen cent zou nalaten. Maar ze zei, wat is geld? We willen een wereldreis maken en we willen een kind.

Ik doe mijn ogen dicht en zie ze samen op een veerboot op weg ergens naar toe, haar hoofd verborgen in het dikke donker van zijn Afghaanse jas, zijn zwarte Apachehaar – en ik ben er kapot van te bedenken dat ik niet de baby ben waar ze van dromen.

Ze kregen ruzie in Lausanne. Hij trok de gouden oorring uit haar lelletje en er moesten drie hechtingen in. Hij rolde zijn slaapzak op en ze heeft hem nooit meer teruggezien.

De dag dat ze van de veerboot stapte in Kapsali regende het en op de kade deden vier honden het met elkaar, de een op de ander, als opgestapelde stoelen.

2

Weet je wel dat het giet buiten? vroeg mijn man.

Ik wist het niet. Ik was mijn haar nog aan het droogwrijven en me aan het afvragen of ik het zou föhnen of niet.

Ik ga naar kantoor, zei hij en dronk zijn koffie op, ik heb een vergadering om halfnegen. Ik kan je afzetten als je wilt.

Ik zei ja op zijn genereuze aanbod, deed snel wat oogschaduw op en ten slotte een beetje mascara. Terwijl hij toekeek werd hij humeurig en zwijgzaam. Hij vond het niet leuk als ik make-up droeg. Hij wist niets van mijn kleine hobby, maar hij vertrouwde het niet zoals ik eruitzag en per slot van rekening had hij gelijk.

Gisteravond hadden we seks gehad, o ja, maar dat zou je nu niet meer zeggen. Je zou niet geloven dat ik mijn benen om hem heen had geslagen en dat hij mijn borsten had gekust en schatje had gezegd en dat soort dingen. Seks leidde nergens toe voor ons – zo was dat nu eenmaal. We konden neuken, praten, eten uit dezelfde koelkast, maar niets van wat we deden bracht ons nader tot elkaar. We konden er samen de vonken vanaf laten vliegen en daarna weer mijlen afstand nemen. Dag en nacht waren totaal gescheiden van elkaar – goed en slecht, intiem of boos. We hadden ze in tweeën gedeeld, zoals we onszelf in tweeën hadden gedeeld.

Hij pakte zijn papieren van tafel en friemelde aan zijn oorbelletje – met twee vingers wijzend naar zijn eigen softwareverkoperskop. Maar ik moet wel om tien over half vertrekken, zei hij. Heeft de hond gegeten?

Dat heeft ze.

Megan hief haar kop op bij het woord 'hond' – of was het gewoon door het horen van zijn aanbeden stemgeluid? – en liet hem toen weer zuchtend op haar poten zakken. Ze jankte zacht en ik fluisterde, hou je kop, net zo zacht dat hij het niet zou horen. Ik keek op de keukenklok en het was één minuut over half.

Ik hoorde hem zijn tanden poetsen boven, spugen, spoelen, kraan openzetten – vertrouwde geluiden die me passeerden en verdwenen in het niets. Hij vond zichzelf heel wat met zijn hond en zijn oorbel en zijn baan waarbij hij het hele land doorreed in een spijkerjasje, maar hij deed toch maar mooi alles braaf zoals het moest.

We waren drie jaar getrouwd en het was steeds meer een gemakshuwelijk geworden. Gemakkelijk voor hem en af en toe gemakkelijk voor mij, zei ik tegen Paula.

We lachten, maar het was eigenlijk niet zo leuk meer. Ik had veel grapjes over het huwelijksleven en ik spaarde ze op voor op het werk.

O, hij is de kwaadste niet, zei Paula dan, en frunnikte aan haar voeten onder tafel. Misschien viel ze stiekem op hem. Hij was het soort man waar andere vrouwen stiekem op vallen. Hij maakte indruk tot je hem van dichtbij meemaakte.

In de auto, toen we over Milmont reden, zei ik iets over Tante en hij katte me af.

Je kende haar nauwelijks, zei hij, alsof ik me aanstelde.

We hebben samen gewerkt, riep ik. Ze was een oude dame.

Je lachte haar uit.

Dat weet ik, zei ik, maar ik heb nooit gewild dat ze haar nek zou breken.

Die dingen gebeuren. Misschien is het beter zo, zei hij en ik wist dat hij aan zijn eigen moeder dacht en haar Alzheimer.

O ja, zei ik luchtig, ik ben er deze zondag niet met de lunch.

Hij keek naar me. Ik dacht dat we naar mijn moeder gingen?

Doreen zat in een tehuis aan de rand van de stad. Elke week zaten we elk aan een kant van haar bed toe te kijken hoe ze knalgroene diepvrieserwtjes op de grond liet vallen. De erwtjes kwamen onder de wielen van haar rolstoel terecht en werden in de mat gereden. Soms bukte ik om ze op te rapen, probeerde ze niet onder mijn nagels te laten komen, probeerde niet te kotsen. Ik negeerde de geurtjes van vies eten en oudemensenurine door naar buiten te kijken naar de parkeerplaats en de grijze wazige heuvels.

Hij vertelde tot in de kleinste details wat hij op tv had gezien. Sitcoms en sport.

Doreen zat altijd strak voor zich uit te kijken en zei, wie is die man? Laat hem weggaan.

Dan zei ik met een lief stemmetje: Het is je eigen zoon, Doreen. Je zoon.

Wat? Hoe heet de vrouw met wie hij getrouwd is?

Amy. Dat ben ik, Doreen.

Hebben ze nog geen kinderen?

Nog niet, nee.

Nou, rot dan maar op, alletwee.

We kunnen zondagavond gaan, zei ik tegen mijn man en hij klakte ongeduldig met zijn tong. Hij hield niet van zijn moeder maar hij vond dat hij er helemaal alleen voor stond. Zijn broer Darren zat in Japan, en dat vond niemand erg.

Waar moet je naartoe? vroeg hij.

Naar een kroeg met de meiden, ik weet het niet, ik organiseer het niet.

Liegen ging me gemakkelijk af. Ik keek uit het raam en deed net of ik naar een grote gele kraan keek. Zijn hand gleed vanzelf naar mijn knie – dat was omdat hij aan de seks van gisteren dacht. Kop op, zei ik, om hem te bereiken.

Hij zei niets. Na een tijdje trok hij zijn hand terug en stak een sigaret op.

Hij stopte en ik stapte uit.

Doei, zei hij met zijn richtingaanwijzer al uit om weg te rijden.

In de keuken was het een drukte van jewelste. Karen en Gwen poetsten de glazen op en hadden het over een film die Karen al had gezien en Gwen nog wilde gaan zien over een seriemoordenaar waarin de moordenaar orale seks pleegt alvorens zijn slachtoffer met een knipmes te bewerken. Jack stond te schreeuwen tegen de nieuwe bordenwasser. En Hetty stelde het rooster voor volgende week op, fronsend tegen het papier dat op het prikbord hing en driftig schuddend met haar balpen om de inkt te laten zakken.

Bij mijn pleegouders was het eng en elektrisch. Stekkers en stopcontacten waren belangrijk. Brian hield van speeltjes. Ik zat te luisteren naar al die zoemende apparaatjes. Ik dronk mijn melk, vermeed de brokjes room. Ik keek op de tv naar mensen die werden opgeblazen in de oorlog.

Met Kerstmis hadden we drie bomen van verschillende grootte van glinsterend metaal. Een grote groene voor in de woonkamer, een kleinere zilveren voor in de hal en een heel kleine roze voor in de keuken. Er zat een zware voet aan en de takken waren in gaten gestoken. Je kon je eraan snijden als je ze erin duwde. Als het snoer met lichtjes eromheen gedrapeerd was, draaide je aan het knopje. Als het werkte was het prima. Als het niet werkte, friemelde je er wat aan tot het wel ging.

Een meisje op school was geëlektrocuteerd toen ze haar haar zat te drogen in bad. Een baby van de buren was gestorven aan een leverkwaal en Eileen organiseerde er een paar koffiekransjes voor. Oude mensen stierven eenzaam met Kerstmis, hun botten verstijfden in hun stoelen die naar je mocht hopen gevuld waren met brandwerend materiaal.

Met Kerstmis gaf het niet dat ik in een pleeggezin zat. Ik kreeg alles wat de anderen ook kregen.

De kerstman met een rode vilthoed op zat op de rug van een witte zeemeeuw. Er zaten kleine metalen cadeautjes in zijn zak. Er waren er zes in totaal en we probeerden ze gelijkmatig over de boom te verdelen.

Er was geen bloedverwantschap tussen mij en de Bishops. Eileen en Brian en Sally en dan Freddy. Eileen deed haar best, maar het bleef bij woorden. Wat wil dat zeggen, vlees en bloed? Geen bloed en pezen en vet zoals bij een stuk vlees, maar gewoon een mens die breed blijft glimlachen om de stomste dingen die je doet. Iemand die je nam zoals je was. Daar zou ik alles voor over hebben gehad. Ik was doodsbang dat ik zou eindigen als Tante, met alleen Jezus om van te houden, en dan maar linnen zitten vouwen ergens boven aan een trap.

Ik hou van je omdat je niets verwacht, zei mijn man de eerste keer dat we samen waren.

Soms trokken Sally en ik Eileens nylon onderjurken aan en dan gingen we trouwen. We trouwden altijd met Tom Jones. Als je Tom bent dan steek je je bekken naar voren.

Sally en ik liggen samen in bed en oefenen voor het huwelijk – ik weet niet wie Tom is. Het bed is warm en Sally's adem op mijn gezicht is vochtig, haar vingers ruiken naar haar spleetje. Op onze nachtpon staat: verwijderd houden van open vuur.

Eileen heeft hondachtige dieren voor ons genaaid van corduroy. De mijne heet Sammy, die van Sally heet Dammy.

Dammy is geen naam, zeg ik tegen haar en zij zegt van wel en dus geef ik haar een klap.

Met slaan los je niets op, zegt Eileen, die christen is.

Sammy heeft oranje knopen als ogen en een wat woeste blik die ik helemaal te gek vind. Dammy is klein omdat Eileen hem uit een te klein kussen heeft geknipt en tekortkwam. Oké, Sammy mag dan beter zijn, dat weet ik wel, maar stiekem hou ik van Dammy.

Als we nog eens iets nieuws krijgen, zegt Eileen, laat haar dan voortaan maar eerst moeilijk doen.

Sally mag altijd moeilijker doen dan ik. Zij is de knapste, de vriendelijkste, de lenigste en ze doet altijd de spagaat, zowel recht als dwars, waarbij ze zich vasthoudt aan de doorzichtige salontafel.

Ze haalt diploma's bij ballet tot aan de gevorderden terwijl ik bij de beginners blijf. Eileen neemt soep mee in een thermosfles als ze naar Sally gaat kijken – je krijgt honger van zoveel toewijding. Sally heeft haar haar opgestoken in een knot bij haar examen en mag er lak op doen die blijft zitten tot de volgende wasbeurt. In bed ben ik jaloers op haar haar dat stijf staat van de Elnett.

Ze verzamelt glazen diertjes en dingetjes en haar Zwitserse huisje speelt 'Hi Lily, Hi Lo', terwijl het mijne alleen maar open en dicht gaat. Het lijkt wel een grap dat zo'n onbeholpen en doorsnee echtpaar als de Bishops zo'n prachtig kind heeft kunnen maken.

Ik was al bijna zeven toen Sally werd geboren en het was echt dikke pech voor Eileen en Brian dat ze na al die jaren zelf een kind verwekten, slechts een paar maanden nadat ze die lastige zesjarige hadden geadopteerd die nog steeds in bed plaste en krijste in de kerk en wormen had en hoofdluis en die stukjes Liga achter de radiator spuugde.

Maar je ziet het op tv: zo'n echtpaar ondertekent de papieren en net als ze dat gedaan hebben komen zaadje en eitje bij elkaar en dat doet je vermoeden dat Iemand daarboven er flinke lol in heeft.

Omdat ze christelijk waren konden ze dat nooit toegeven maar ik denk dat als Eileen en Brian me toen hadden kunnen teruggeven zonder dat er vragen werden gesteld, ze dat meteen gedaan zouden hebben. Brian toch zeker – ruilen of geld terug. Maar dat ging niet dus hebben ze me gehouden maar hun hart bleef klein en gesloten en woedend.

Ik wist meteen dat hij het was door de stilte.

Het was woensdag, na de lunch, en ik was aan het dweilen en kletsen met de meisjes en sabbelde op een ijsblokje van een bodempje gepikte Bacardi. Karen rolde met haar ogen toen ze me de telefoon gaf. Wil zijn naam niet zeggen, zei ze.

Niets. Stilte. Toen, Amy?

Met wie spreek ik?

Je komt toch hè? Zondag.

Ik zei, dat heb ik toch gezegd? Ik verschoof het ijsblokje om geen pijn aan mijn tanden te krijgen en slikte het ijswater in. Mijn keel deed pijn en mijn nagels prikten van het knoflook persen.

Goed, zei hij.

Ik was die geheimzinnigheid spuugzat. Er kwam ineens iets in me op. Ben jij Justin Appleby? vroeg ik hem op de man af.

Nee, zei hij en lachte maar er zat geen verbazing in de lach.

Heb je hem gekend?

Ze heeft mij voor hem laten staan.

O, zei ik. Sorry.

Hoeft niet. Ik heb haar weer teruggevonden.

Teruggevonden?

Waarom trilde ik zo? Ik zocht steun tegen de toog, klemde mijn hand onder mijn arm zodat ik er niet op kon beginnen te kluiven.

Ja, zei hij, ik ben goed in het terugvinden van vrouwen.

Ben je daar helemaal naartoe gegaan om haar op te zoeken?

Het is niet zo ver. Waarschijnlijk niet zo ver als jij denkt. Ik zal je er op een dag wel eens mee naartoe nemen – als je braaf bent.

Een smaak als van bloed kwam in mijn mond. Was ze blij, vroeg ik hem, dat je haar teruggevonden had?

Hij lachte weer. Ja en nee, zei hij.

Wat wil dat nou weer zeggen?

Hij aarzelde. Misschien ben ik te goed in het terugvinden van mensen.

Wat heb je...

Tot zondag, zei hij.

Het was bijna vijf uur toen ik het restaurant verliet, donker, de lucht wazig door een motregentje. Ik had de sleutel van Mara's huis in mijn zak en ik overwoog te stoppen bij de blindentuin, gewoon even kijken, maar besloot het niet te doen. Mijn lijf voelde slap en ontspannen aan; ik moest wakker zijn als ik het wilde verkopen.

Ik deed het één na beste wat ik kon doen: stopte bij een pinapparaat en vroeg een overzicht van mijn spaarrekening. Een saldo van zesentwintighonderd pond. En ik was er pas een maand of zes mee bezig.

Hij had gezegd dat hij goed was in het vinden van mensen en ik vroeg me steeds weer af hoe hij me had gevonden. Ik was nogal toevallig in deze stad beland, dus hoe had hij het voor elkaar gekregen hier ook terecht te komen?

Brian was er uiteindelijk vandoor gegaan met een Filippijnse werkster van zijn parochie – een lawaaierige, wild gebarende tiener die hij zwanger had gemaakt, de oetlul. En Eileen stierf aan kanker net voor de baby werd geboren.

Het was een jongetje. Ik wilde er niet in de buurt komen, en bij hen ook niet. Hij schreef me dat Virgilia opengeknipt had moeten worden om de baby eruit te krijgen omdat ze Filippijnse was en haar bekken te smal was, en je werd verondersteld ontzag voor hem te hebben omdat hij zo'n tengere sekskoningin als vrouw had. Maar ik hoopte dat ze er een groot litteken aan over had gehouden waar Brian op zou afknappen en dat hun vervloekte relatie eraan kapot zou gaan.

Meteen na Eileens begrafenis ben ik weggegaan.

Ik ging naar het station van Paddington met achtenhalve pond en een broodje tonijn op zak en het bord met de vertrektijden ratelde maar door. Ik dacht aan een stadje met bomen en honden en kinderwagens en oude mensen die nog steeds getrouwd waren en de zon die altijd scheen en de was droogde. Ik dacht aan een gatenplant in de badkamer en een echtgenoot en een zacht wit tweepersoonsbed met een klokradio ernaast.

Ik koos op goed geluk een plaats. De man zei dat het twaalfenhalve pond kostte voor een enkeltje, maar ik had maar achtenhalve pond, dus ik zei kan ik ergens naartoe voor achtenhalf? En hij keek strak voor zich uit en zei, je maakt zeker een grapje, niet als je ouder bent dan zestien.

Toen kwam die ouwe vent eraan. Hij had lange gele nagels en hij keek een beetje schrikachtig. Hij vroeg of ik iets met hem wilde drinken aan de toog en ik bedacht dat ik veel liever een hamburger zou eten in de Burger King want ik stierf van de honger en had alleen dat broodje tonijn op zak voor god weet hoe lang.

Dus dat zei ik.

Hoe weet ik of je te vertrouwen bent? vroeg hij.

Nou, dat weet je niet, zei ik zacht en keek hem aan terwijl ik dat zei.

In de Burger King scheurde ik het zakje ketchup met mijn voortanden open en hij zei dat ik een lekker ding was.

Ik luisterde niet naar hem. Ik concentreerde me op de zoete ui die door mijn keel gleed, het zachte namaakachtige brood. Je bent een parmantig dametje, zei hij.

Ik lachte en raakte zijn synthetische dij aan onder de tafel. Het kostte me niks en ik zag dat hij het fijn vond. Zijn adem ging sneller en hij keek weg.

De kroeg ernaast was één en al kunstlicht en vol met mannen die tegen felgroene plastic varens hingen en op hun horloge keken. Ik greep het briefje van tien pond dat hij me toestak. Ik wist dat ik in de trein zou moeten betalen. O kijk eens hoe laat het is, zei ik, mijn trein vertrekt.

Weet je wat, zei hij, maar ik gleed al van de pvc barkruk af. Hij stak een arm uit om me te pakken, maar te laat. Hij riep iets, en ik maar rennen door die marmerachtige tent, langs jassen glippend, tegen mouwen en tassen botsend.

Ik voelde het vettige, verfrommelde bankbiljet warm in mijn hand. Daarmee verliet ik de stad.

Ik was anderhalf jaar alleen en toen ontmoette ik mijn man.

De pizzakeukens waar ik werkte waren heet en donker en de jongens keken naar Franse video's met floorshows en gingen met elkaar naar bed, niet met mij. Er lagen stapels jassen achter de deur en pepermuntjes bij de kassa en de bordjes op de wc's waren geschreven in zulke dure chique letters dat je ze bijna niet kon lezen.

In de stad kwamen toeristen op de waterkuren af en kiekten zichzelf voor de Romeinse baden waar water uit lichtgroene gaten stroomde en de lucht naar zwavel rook en nylon rugzakken en Kodak.

Nadat ik mijn pizzabaantje kwijt was schreef ik me in bij het Arbeidsbureau en deed ik een tijdje niks. Het gaf niet, ik was zo verliefd op de stad, de diepe en fascinerende rust van de plaats – er werd op didgeridoos gespeeld bij het winkelcentrum en er was altijd wel iemand met een regenbooghoed op en mensen zonder ledematen zaten in rolstoelen te glimlachen in het zonnetje.

Je kon alles tweedehands kopen als je wist waar je moest zijn want mensen stierven in hun slaap en hele huizen werden leeggehaald en te koop gezet als gave, afgedankte levens.

Je kon paperbacks kopen voor tien pence en bestek met kruimels en plastic dingetjes die je nooit zou willen hebben. Zijden blouses in het antiekcentrum en gebarsten poppen met scherpe tandjes, zware amberen kralen en dichtklappende rozen en roestige koekjestrommels en uit elkaar vallende dozen met gerafelde leren riempjes.

Een vrouw die Annette heette had er een speelgoedkraam – alles was honderd jaar oud, opwindbare aapjes en poppetjes en tinnen figuurtjes met geschilderd haar. Annette droeg een wit met crème appliqué jumper en een te strakke vinyl broek waardoor je haar maandverband zag zitten als ze ongesteld was.

Ze haalde altijd een schotel paté of iets kouds in het café aan de overkant en haar koffiekopjes waren zwart aan de binnenkant omdat je naar de wc moest om ze schoon te spoelen en daar had ze

34

geen zin in. Annette liet me een tijdje voor haar werken, maar ik vroeg te weinig voor dingen en na verloop van tijd begon het stof op mijn longen te slaan.

Ik hing rond op de markt waar het naar beschimmelde erwten rook en ik ging met een Cola Light op de treden onder aan de brug zitten waar winkeltjes op stonden als een kleine stad en ik keek naar de eenden die in de rommel langs de oever snavelden waar het water bruin was en schuimend van het vuil.

Een kind kwam langs rennen met een rode ballon, zijn voetjes in nieuwe sandalen als een verzonnen kind uit een boek. De moeder zag er tevreden en blij uit, haar haar netjes bij elkaar gebonden met een fluwelen band. Een man met een kinderwagen ruziede met een te dikke vrouw in een lycra wielrennersbroek.

Ik keek naar de rivier op zijn diepste punt waar hij glazig werd, langzamer stroomde en de indruk wekte dat hij stilstond vlak voor hij zich over de waterkering stortte.

Jack vertelde me dat de regen die tienduizend jaar geleden op die heuvels was gevallen door de kern van de aarde werd opgewarmd en weer opborrelde als een kokende ketel. Er komen elke dag nog steeds massa's water naar boven zei hij.

Oude regen, dat vind ik leuk – leuk om te bedenken dat we daarop leven: op tienduizend jaar heet water.

Hetty zei dat ze me bij de garderobe had gezet en de bar boven om mee te beginnen maar dat ik op drukkere momenten ook aan tafel zou bedienen en op sommige dagen zelfs zou moeten afwassen en wat ik daarvan vond?

Kan me niet schelen, zei ik. En dat was waar.

Schitterend, zei ze, dan zal ik je alles over ons vertellen. We hebben momenteel zeven vaste medewerkers, allemaal fantastische mensen die al jaren bij ons zijn. Er zijn ook een paar oudere dames die twee keer per week uit Little Terton komen. Normaal gesproken zijn er negen shifts per week maar als je er meer wilt doen kan dat – we zitten altijd krap, als je begrijpt wat ik bedoel.

De hele tijd zat ze met haar balpen te knippen en tikte er af en toe mee tegen haar tanden. Je zag dat ze efficiënt was. Ze had een korte rok aan om haar mooie benen te showen en half-hoge platte rijglaarsjes. Ze had een harde stem en klapwiekte met haar ellebogen en duwde haar vingers door haar pony. Je kon zien dat ze zo'n buitentype was dat gelukkig en rijk was opgegroeid met veel bruin brood en frisse lucht en gelach en slobberende honden.

Toen ging de bel en ze zei dat ze voor de bloemen moest gaan zorgen.

Nou, we zijn hier niet bang om onze handen vuil te maken, Sarah, zei ze.

Ze had mijn naam verkeerd, maar ik wist dat ik het baantje had.

Ze hadden meelij met me wat mijn huisvesting betrof, en gaven me een kamer boven. Vijf trappen op en wit geschilderd en het kozijn buiten groen van de duivenpoep. Er was een badkamer – meestal voor mezelf alleen – waar één keer per week de schaal- en schelpdieren in bad werden gedumpt.

Ze kropen er krassend rond met hun lange, harige poten, zaten nooit stil, zwarte ogen op steeltjes tastend naar licht. Het lukte me te pissen en mijn tanden te poetsen zonder naar ze te kijken, maar 's nachts kon ik hun geluid niet afzetten – ze kropen langs de zijkant van het bad omhoog en vielen steeds weer terug.

Jack zei dat ze levend de pan in moesten – had met smaak en ethiek te maken. Hij zei dat het eerlijker was om de dieren die je wilde opeten zelf te doden.

Waarom is dat eerlijker? wilde ik weten, omdat ik soms de indruk heb, wanneer mensen als Jack of Hetty zeggen dat ze eerlijk zijn, ze alleen maar met hun mening lopen te pronken.

Denk er maar eens over na, zei hij.

Het was een redelijk grote kamer met twee bedden. Ik sliep in het ene bed en legde mijn bezittingen op het andere. Ik had nog nooit in mijn leven zoveel ruimte gehad. Ik was dronken van de ruimte en de schone rust van privacy. Er hing geen gordijn voor het raam en Hetty zei dat ze me iets zou geven om ervoor te prikken, maar dat is ze kennelijk vergeten want ze heeft me nooit iets gegeven.

Ik kleedde me uit in het donker met alleen de sterren die me begluurden.

Volgens Jack waren er vroeger zwarte jongetjes als slaaf gehouden in dit gebouw. Maar daar was niets meer van te merken sinds alles vertimmerd en geschilderd was en de hele zaak was overgebracht naar dat currytentje in Isabella Street.

Soms zat ik daar op mijn vingers te sabbelen en te kijken hoe de duisternis viel over de stad en dan was het griezelig, alsof ik niet alleen in deze kamer zat maar ook ergens anders. Een grotere ruimte. Alsof de kamer in verschillende lagen was gesneden en ik alleen in de bovenste laag zat en een dunne en drillerige laag op de koop toe, zoals het bruinachtige velletje aan een zalm of op een gemberpastei van Jack.

Het beste aan de ontmoeting met mijn man en mijn huwelijk was dat ik weg kon uit die eenzaamheid, én een badkamer voor mezelf kreeg zonder levende dieren erin.

3

Zondag was een frisse, milde, onwaarschijnlijke dag – de lucht was zacht, dik, zwaar van de geur van natte bladeren.

Mijn man zei dat ik Paula de groeten moest doen. Hij mocht Paula wel omdat haar man Derek ooit eens een Home Office pakket van hem had gekocht. Ik zal het doen, zei ik.

Ik was blij dat ik naar buiten kon. Hij zat daar in zijn T-shirt en onderbroek de sportpagina's te lezen en het hele huis rook naar de huid van zijn gezicht wanneer hij het een paar dagen niet gewassen had, of alleen met water zonder zeep te gebruiken. Ik wist dat hij er de pest in had aan de manier waarop hij de deuren dichtdeed, het licht uitknipte.

Ik gaf Megan te eten en hield haar binnen, sloot met plezier de deur voor haar harige snuit.

Buiten was alles bruisend en levend. Er klonk geluid van een bandje dat uit Alexandra Park leek te komen en de kerkklokken waren juist gestopt met luiden – hun echo hing nog in de lucht als een lekker geurtje.

Harris had gezegd dat het op loopafstand was, maar op mijn kaart leek het best een eind. De straat waar ik moest zijn zat bijna helemaal in de vouw. Ik was gewend om te lopen omdat mijn man me niet vertrouwde met zijn auto van de zaak. Het was hetzelfde liedje als met de make-up. Hij had me aan mijn rijbewijs geholpen maar hij wilde niet dat ik reed omdat hij wist dat ik wel eens zou kunnen instappen en gewoon door blijven rijden en niet meer terugkomen.

Ik was van plan meteen door te lopen naar Melly Hill en daar een bus te pakken als er een kwam, maar er kwam er geen en dus arriveerde ik tenslotte om tien over één in zijn straat, met een gezicht dat ergerlijk rood was en plakkerig van het zweet.

Ik ging even op iemands oprit staan en bekeek mezelf in mijn spiegeltje en deed een beetje poeder op. Het was zo'n straat waarin de huizen zo groot zijn en zo ver naar achter staan dat je niet wist of het appartementen waren of niet. Grote lage auto's met donkere kleuren die een smak geld kosten. Zijn huis had een zwart hek en een hoop donkergroene, nat geurende struiken en een dode vogel op de treden voor de deur waar de lege melkflessen stonden.

Daar ligt een dode vogel, zei ik toen hij de deur opendeed met een glimlach van oor tot oor.

Ja, zei hij, ik wilde hem weghalen, kom binnen.

Hij bleef een hele tijd naar me kijken. Gewoon kijken.

Ik liet hem begaan, het kon me niet schelen. Ik vroeg me zelfs af of hij op me viel. Er zat een grote rode vlek op zijn jasje, wijn of zo en ik kon mijn ogen er niet vanaf houden.

Sorry, zei hij, maar dat ik jou terugzie na zoveel jaar, nou, dat doet me wat. Kan je dat begrijpen? Vind je het erg?

Ik keek naar hem en zei niets.

Ik wil je niet verlegen maken, zei hij.

Ik glimlachte. Ik wist niet wat ik anders moest doen.

Je kent me natuurlijk niet, zei hij, maar ik jou wel. Kleine Amy, voegde hij er zacht aan toe alsof hij het tegen zichzelf had.

Hij kwam naar me toe en legde zijn handen rond mijn gezicht, zijn duimen streken over mijn wangen en hij bekeek mijn ogen, neus, haar.

Kleine Amy, zei hij nog eens en ik voelde mijn maag warm worden en moest vechten tegen de opwelling hem een gratis pijpbeurt aan te bieden.

Hij liet mijn gezicht los en ging wijn voor me inschenken en toen hij met zijn rug naar me toe stond en ermee bezig was maakte ik van de gelegenheid gebruik om op adem te komen.

Op jou, zei hij en hief zijn glas met een oog dicht alsof hij me taxeerde. Ik nam een slok en liep naar het raam zoals ze dat in films doen. Alles wat ik deed was alsof ik van buitenaf naar mezelf keek.

Bedankt, zei ik.

Ik hield het glas stevig met twee handen vast en keek de grote kamer rond die vol stond met spullen – een hoop donkere, dure dingen op tafels, alles onder het stof, en hier en daar glas en foto's en boeken. Ik had nog nooit zoveel boeken gezien en dat zei ik.

Hou je van lezen?

Ik hou wel van een goed boek, een liefdesroman, maar dat wilde ik niet toegeven tussen al die dure intellectuele dingen van hem. Ik haalde mijn schouders op.

Tijdschriften, zei ik. Maar die tellen natuurlijk niet mee.

Alles telt, zei hij, alsof ik niets fout kon doen – alsof alles wat ik deed fascinerend was in zijn ogen.

Oké, lachte ik, ik lees graag.

We lachten alletwee, hij deed mee en het voelde vriendelijk aan. Hij bood me een stoel aan en ik ging zitten.

Ik heb vroeger lesgegeven, zei hij, zoals iedereen, maar ik ben nu te oud.

Ik dacht dat hij niet zó oud kon zijn. Hij had iets jongs, iets jeugdigs. Hij had witgrijs haar, maar zijn gezicht stond te vrolijk en te sarcastisch voor een oude man.

Hij schonk nog wat wijn in voor zichzelf terwijl ik mijn glas nauwelijks had aangeraakt en pakte een foto uit een la. Zij: een rok tegen haar lange benen geblazen, wapperend blond haar, een sigaret in het kommetje van haar hand en achter haar, klaar om aan te vallen, de zee.

Ik was verbaasd. Ik had zelf maar een paar kiekjes die Eileen voor me had bewaard, en die waren niet zo goed als dit. Je kon zien dat ze echt een lekker stuk was, om het zo maar eens te zeggen.

Ik zat met de foto in mijn handen. Er zaten driehoekige merkjes op de hoeken waarmee hij vastgeplakt had gezeten in een boek.

Je mag hem houden als je wilt, zei hij.

Echt?

Ze was je moeder. En ik heb er nog veel meer.

Hoe komt dat?

Wat? Hij keek naar me.

Hoe komt het dat je foto's van haar hebt?

Waarom niet? vroeg hij snel. Ze was mijn grote liefde. We hielden van elkaar, je moeder en ik. Gary! riep hij naar de deur, kom

40

eens voor de dag. Kom Amy eens gedag zeggen.

Dus hij woont hier? vroeg ik, met wat meer zelfvertrouwen nu ik hem de vragen stelde.

Natuurlijk. Hij is toch mijn huurder? Mijn huisgenoot?

Gary kwam binnen. Er kwam een geur van lekker eten naar binnen, maar die leek niet van hem te komen.

Ik moet weg, zei hij. Sorry.

Hij had een glas bier in zijn hand maar hij had er nog niet van gedronken en hij nam niet eens de moeite naar me te kijken. Ik negeerde hem ook. Ik had de foto nog in mijn hand en ik zag hoe ze naar niets stond te staren, niet naar mij, naar niets. Een schoon, sexy gezicht zonder de last van gedachten.

Gary haalde zijn hand door zijn overeind staande haar.

Nu? vroeg Harris. Vlak voor de lunch moet je weg? Terwijl Amy er is?

Ik blijf niet lang weg.

Ik vroeg me af of het door Gary's dikke wangen kwam dat hij er zo chagrijnig uitzag of dat hij er altijd chagrijnig zou uitzien hoeveel hij ook woog.

Godver, zei Harris, maar meer tegen zichzelf.

Gary pakte een rugzak van de grond, gespte hem dicht en vertrok.

Ik zit op de sofa, Harris in een stoel bij de haard – zo'n chique ouderwetse stoel met gedraaide poten en massa's fluwelen knopen. Uit de sofa steken haren.

In de flat van mijn getrouwde leven is alles gloednieuw en modern en praktisch. Rechte lijnen, wandlampen, strakke handgrepen. We gaan naar winkels die zondags open zijn en nemen van dat Scandinavische spul, glad hout en licht van kleur als honing, in van die platte pakken om zelf in elkaar te zetten. Je gaat in de rij staan met een bonnetje om ze op te halen en ze passen in de kofferbak van de auto.

Thuis legt mijn man de stukken zorgvuldig op de grond en dan zet hij ze in elkaar. Hij loopt nooit vast. Hij doet er wel een tijd over maar dat is het hem juist. Hij ziet er zo helemaal correct uit wanneer hij dat doet in zijn echtgenotenoutfit met een geruit flanel overhemd en jeans en dikke sokken en met een geopend blikje op de vloer naast hem en daar drinkt hij uit en fronst zijn wenkbrauwen als hij dat papiertje nog maar eens hardop voorleest. Soms klaagt hij over de kwaliteit van de lak of de domme gebruiksaanwijzing maar uiteindelijk is hij er blij mee.

En het eindigt ermee dat we meer bergruimte hebben.

Harris kijkt naar me alsof hij mijn gedachten kan raden, alsof hij een achterdeurtje heeft om in mijn hoofd te komen spitten.

Wat? vraagt hij.

Niks, zeg ik, ik zei toch niks.

Ik gooide je altijd hoog in de lucht, zegt hij, gooide je hoog op en ving je weer. Je gaat me toch niet vertellen dat je dat niet meer weet?

Ik haal mijn schouders op en glimlach. Het geluid van een radio sijpelt binnen, ik weet niet van waar.

Is het hele huis van jou? vraag ik.

Hij knikt. Maar niet de kelder, dat is een afzonderlijk appartement. Ik woon hier al bijna twintig jaar.

Ik heb het eiland twintig jaar geleden verlaten, zeg ik, omdat het waar is.

Ik weet het, antwoordt hij alsof hij blij is met het feit dat ik die bedenking maak, dat ik het weet.

Vertel me alles over haar, zeg ik omdat de wijn me moedig maakt en ontspannen en onvast.

Hij lacht een beetje droevig. Alles? Ik weet niet alles.

Vertel me wat je weet.

Ik neem nog een grote slok en kijk naar zijn boekenplanken om niet naar zijn gezicht te hoeven kijken. Ik weet niet wat hij me zal gaan vertellen, of hoe alles erdoor zal veranderen, maar het is de reden dat ik ben gekomen.

Ik zucht als ik aan alle gesprekken denk die we nog voor de boeg hebben. Ik wil het en ik wil het niet, alletwee als dat kan.

Het is een lang verhaal, Amy, zegt hij.

Mij best, zeg ik. Begin maar.

Ik wist niet of zijn verlegenheid gespeeld was of niet. Hij praatte zacht en hij stopte steeds, alsof hij het zat te fantaseren, maar je wist dat hij dat niet deed. Na een tijdje trok ik mijn voeten op de sofa en zakte achterover en liet me meevoeren door zijn kalme, gladde stem.

Beelden traden tevoorschijn uit het duister terwijl hij sprak, vonkten in mijn hoofd, flikkerden, gingen in elkaar over en namen elkaars plaats in zoals op de televisie.

Sommige dingen leken meer waar dan andere en sommige dingen vond ik niet leuk want misschien had ik ze wel verzonnen of niet en hoe kon ik dat trouwens weten? Van sommige dingen had ik het gevoel dat ik ze altijd had geweten maar dat ik mezelf nog geen toegang had gegeven tot hun geheimen. En sommige kwamen schuin en ongevraagd binnenglijden zoals wanneer je hoofd in het kussen zakt en alle slechte dromen van de vorige nacht weer terugkomen.

Het enige wat ik probeerde was mijn zelfbeheersing niet te verliezen.

Ik mag dan in mijn vrije tijd mannen hebben gepijpt, maar hier was ik bang voor, bang voor wat ik te horen zou kunnen krijgen. De sfeer leek prikkelbaar, maar ik bleef stevig zitten. Mijn vingers hielden de steel van het glas vast, de rode vloeistof klotste en wentelde in het zonlicht.

Af en toe vroeg ik me af of dit allemaal wel was wat ik gehoopt had te horen – en ik vroeg me af wat hij er voor baat bij had het me te vertellen.

Dat hij haar eerste minnaar was geweest wilde ik wel geloven en ik wilde ook wel geloven dat hij toen naar zijn eigen zeggen heel cool en knap was geweest – groot, donker en nors, met een goed stel hersenen en een goed stel handen.

Hij zei dat hij leraar was geweest in zijn eerste baantje aan St. Albans High School en dat hij haar Engels gaf – boeken en opstellen en emotioneel discussiëren. Je kreeg punten als je dingen van jezelf liet zien. Maximale openstelling. Jody was goed in zichzelf. Ze was geen blokker maar ze was snel – pikte snel een idee op en deed er weer net zo snel afstand van. Kon snel iets zeggen, raakte snel betrokken. Ze bood haar hart voor onderzoek aan en dat vond hij leuk. Heel leuk. Bekeek het eens goed en vergat bewust het terug te geven.

Hij kwam erachter dat ze met een groep omging waar oudere gasten bij zaten (van zijn eigen leeftijd) zoals Justin Appleby maar voorzover hij wist had ze toen nog niets met Justin. Sommigen volgden kunstgeschiedenis en sommigen deden rechten. Ze kwamen tussen de middag bijeen in een café in de stad, konden het goed met elkaar vinden, kochten een beetje wiet. De politie had al een paar keer een inval gedaan in het café en het gevolg was dat er iemand van school getrapt was, maar het waren de jaren zestig en jongere en swingender leraren zoals hijzelf probeerden de leerlingen wat meer de ruimte te geven. Die kinderen waren zestien, zeventien jaar. Wat hadden zij ermee te maken wat ze uitspookten, zolang ze maar op tijd in de klas verschenen?

Ze kwam meestal te laat, met een scheefzittend vest en een zelfverzekerde blik in haar ogen. Mijn ma. Haar grijze rugzak volgekrabbeld met balpen, en roze nagellak om de ladders in haar kousen te stoppen.

Op een dag trof hij haar tussen de middag huilend aan naast de liguster achter het natuurkundelokaal. Alles in orde? Ziet het er daar verdomme naar uit? vroeg ze. Mijn flat is vlak bij school, zei hij. En hij ging juist naar huis, voegde hij eraantoe.

Hij zorgde ervoor dat niemand hen zag toen ze naar binnen gingen.

Ze ging met gekruiste benen op zijn zitzak zitten. Hij stak een jointje op, zette een plaat op. Ze vroeg of hij dat altijd deed tussen de middag. Hij zei dat het ervan afhing, maar ja, hij hield ervan te relaxen. Relaxen. Het woord klonk zwaar en lelijk zodra hij het had gezegd.

Haar schoenen hadden net een tikje hogere zolen dan was toegestaan op school. Als ze haar hand ophief om haar mond aan te raken (een zenuwtrek) of om iets te betogen, zag je de donkerblauwe driehoek van haar slipje.

Vertel eens over jezelf, zei hij.

Ze zei dat ze tandartsassistente wilde worden.

Wat? En de hele dag in andermans bek staan loeren?

44

Iemand moet het doen, zei ze, ik kan goed met mensen omgaan.

Dat wil ik geloven. Maar waarom niet gewoon verpleegster? Waarom geen dokter?

Ik zie niet graag mensen sterven.

Ze sterven ook in de tandartsstoel.

Niet vaak.

Je bent goed in Engels, in schrijven, drong hij aan. Daar zou je iets mee moeten doen.

Ze zei dat ze niet wilde lesgeven.

Lesgeven is niet het enige, zei hij.

Hij besluit niet dichterbij te komen. Ze is een vogel die elk moment kan opvliegen. Weg van hem, niet meer te vangen.

Dus vertelt hij haar zijn levensverhaal, zoals je dat doet wanneer je met iemand wil neuken. Hij vertelt haar, een beetje te trots, wat heroïne met hem gedaan heeft. Hij vertelt haar het verhaal van zijn instorting en zijn korte carrière als kruimeldief en geeft daarna wat hoogtepunten uit zijn opsluiting in een gesloten afdeling.

Hij ziet dat het meisje behoorlijk onder de indruk is.

Hij vertelt dat hij dacht dat de winkelwagentjes in de Cash& Carry tot leven waren gekomen en hem achternazaten, dat hij loog tegen zijn (toenmalige) vriendinnetje en zelfs – jezus christus – geld van haar had gestolen. Dat hij vierentwintig uur uit zijn geheugen kwijt was, dat hij weer was bijgekomen op een eindstation, dat hij iemand om een of andere reden een dreun had verkocht en zijn kaak had gebroken en dat hij daarna – god verhoede – in hechtenis was genomen.

En dat was het, zegt hij tegen dat prachtige, luisterende meisje met de mathematisch opgevouwen ledematen onder zich als een voorwerp van hout waar je veel geld voor zou willen neertellen, met dat haar dat over haar schouders stroomt. Van heroïne, zegt hij nog eens, gaan je hersens kapot. Neem dat maar van me aan.

Waarom heb je het gedaan? vraagt ze weemoedig, teleurgesteld maar tegelijkertijd onder de indruk van de glamour.

Het is zo zalig, zegt hij. Beter dan seks.

45

Ze zit maar te kijken. Is hij te ver gegaan?

Ja, hoor eens, zegt hij, wat moet ik zeggen? Ik ben er nu overheen. Ben je geschrokken omdat je dacht dat ik een van hen was, een leraar?

Ze haalt haar schouders op.

Dan overweegt hij een stap verder te gaan, haar te kussen, maar besluit dat het te vroeg is, te dicht bij zijn treurige, idiote levensverhaal. In plaats daarvan haalt hij er wat poëzie bij over hoe de drug recht naar je middelpunt vliegt, als een hartslag.

Alsjeblieft zeg, zegt ze, en hij bloost, weet dat hij overkomt als een absolute lul.

Ze zegt dat hij wel een goede leraar is – niet wat hij het liefst wilde horen. Hij zegt dat ze vast een fantastische tandartsassistente zal worden.

Ze knoopt haar vest dicht. Hij wijst haar erop dat het scheef is dichtgeknoopt. Zo vind ik het leuk, zegt ze. O, wat is hij oud, oud, oud.

Hij loopt met haar terug naar school en ze zeggen dat ze elkaar in het park zijn tegengekomen dat naast de achterste speelplaats ligt. Afrikaantjes knipogen naar hen vanuit de perken.

Al snel zit ze elke dag tussen de middag bij hem thuis, laat haar vrienden in het café zitten. Eerst brengt ze met veel vertoon haar huiswerk mee maar na een tijdje blijft haar tas in het kastje op school.

Wat deden jullie, wil ik weten, al die keren dat ze kwam?

Nou, praten.

En...?

Eh...

Ik wacht, knijp mijn ogen zo stijf dicht dat ik zwart met oranje vlekjes zie. Ik hoor zijn adem, zijn stilte, zijn bewuste weglaten van een antwoord.

Ze was nogal wat, die moeder van je, met die fantastische glimlach en dat blonde haar en zo. En ze was behoorlijk slim, net als jij.

Ik ben niet slim, zeg ik voor me uit.

Amy, schatje. Dat moet je niet zeggen Je moet stoppen met je tijd te verspillen, dat is alles.

Hoe weet je wat ik doe met mijn tijd?

Hij zegt niets. Zucht een beetje.

Hoe weet je dat? vraag ik nog eens.

Laat maar, zegt hij.

Ga verder met het verhaal, zeg ik.

Ze had een sterke geest, die moeder van je, en een eigen willetje ook.

Je had gewoon een oogje op 'r.

Heb ik toch nooit ontkend?

Hij had zichzelf wijsgemaakt dat hij niet naar haar verlangde, maar het nadeel van altijd maar boeken te lezen was dat ze je ertoe aanzetten om je fantasie te verwezenlijken, om op te letten wat je voelde, diep voelde, en dan elk idee, elke gril te bevredigen. Liefde en verlangen en hopelijk beide. Wat was er nog behalve die twee? Liefde en verlangen hier en nu. God was flauwekul en het leven was er alleen maar om je eraan te herinneren dat de dood wachtte.

Ik lachte een beetje en kwam wat overeind, vroeg of ik mocht roken. Hij knikte. Ik was suffig geworden van de wijn en de kamer was zwaar van de emoties – de zijne en misschien ook de mijne. Ik stak een sigaret op en wist zonder te kijken dat mijn handen trilden.

Ik zag dat hij op het puntje van zijn stoel zat, met zijn handen door zijn te dunne haar streek en aan de draadjes van zijn jasje zat te pulken terwijl hij sprak.

Ja, ik mocht haar graag, ze was gevaarlijk. Gevaar maakte dat ik me levend voelde, destijds.

Voelde je je dan dood zonder gevaar? vroeg ik.

Dood? Nee, dat niet – maar verdoofd. Ik voelde me verdoofd.

Je hebt een gemakkelijk leven gehad, zei ik, als je de tijd had om je met gevaar bezig te houden.

Mijn vader was tandarts, zei hij, heeft ons rijk gemaakt met het vullen van kiezen die niet gevuld hoefden te worden. Ik heb de gebruikelijke ongelukkige jeugd gehad.

Je hebt een gemakkelijk leven gehad, zei ik nog eens.

Ik voelde dat hij naar me keek. Ik was blij dat ik naar het raam kon kijken en niet naar zijn gezicht. Al dat vertellen begon op mijn zenuwen te werken. Ik had een trieste en zure smaak in mijn mond. Mijn ogen deden pijn van het denken.

Je vertrouwt niemand, zei hij, alsof hij dat zojuist bedacht had.

Wie zou ik moeten vertrouwen?

Je zou mij kunnen vertrouwen.

Zie je wel, zei ik, rook uitblazend, ik wist dat je dat zou zeggen.

Ik lachte voor me uit maar hij zei niets. Misschien had ik hem gekwetst.

Ga verder met het verhaal, zei ik, volgens mij komen we bij de seks aan.

Hij kuchte. Ik keek snel naar zijn gezicht. Het stond ontdaan, vertrokken van pijn.

Ze had al haar kleren uitgetrokken op een nummer van Bob Dylan.

Schooluniform: een rok met knoopjes aan de zijkant, polyester blouse met verbleekte inktvlekken op de manchetten. Haar trui rook naar zweet en schoolmaaltijden en toen ze hem uittrok kwam haar haar overeind door de kou en de statische elektriciteit. Ze legde alles zorgvuldig op de stoel. Haar panty behield nog de vorm van haar voeten en benen.

Hoe oud was ze?

Vijftien, zegt hij snel. Dat weet hij.

En jij?

Weet ik niet. Een jaar of vijfendertig, zesendertig, denk ik.

Dat weet je wel.

Zesendertig dan.

We zeggen een tijdje niets. Ik hang daar maar, triest en opgewonden. Ik zie hoe schril en groenachtig het licht op het raam valt omdat het wel eens gelapt mag worden en ook vanwege al die struiken buiten. Alles is stil. Nu en dan het geluid van een optrekkende auto maar verder niets.

Het spijt me, zegt hij na een tijdje, dit is niet wat je wilt horen, hè?

Ik haal mijn schouders op.

Het was verkeerd, hè? zegt hij.

Ik druk mijn sigaret uit. Verkeerd? Waarom, zeg ik, als ze het zelf wou?

Ik zie nu in dat het verkeerd was. We hadden het niet moeten doen – ik had het niet moeten doen. Je klinkt erg naïef, Amy.

Ik lach en vraag me af wat hij weet. Wat is er naïef aan om te zeggen dat zij het ook wilde? vraag ik hem, en waarom zou ik trouwens niet naïef zijn?

Kom nou, Amy, zegt hij, ze was toch zeker nog een kind, of niet?

We laten weer een stilte vallen.

Hij wacht. Je wilt er niet over horen, zegt hij.

Ik wil alles horen. In al die jaren heeft niemand me iets kunnen vertellen.

Weer stilte. Er begint zich iets hards in mijn nek te vormen dat naar beneden druppelt.

Wat is er met je gebeurd nadat je het eiland hebt verlaten? vraagt hij.

In een pleeggezin geplaatst, zeg ik.

Een weeshuis, zegt hij als in zichzelf.

Geen tehuis, verbeter ik hem, een echt huis.

Hij moet erom lachen. Ik ben zesenzestig, zegt hij. Geef je me dat?

Ik weet het niet, antwoord ik, ik weet niet hoe oud zesenzestig moet lijken.

Ik had je kunnen grootbrengen, zegt hij, ik heb Gary grootgebracht. Ik had je kunnen grootbrengen, niet soms?

Ik zeg niets. Hij schenkt ons alletwee wijn in.

Ik denk: ik zal een beetje zatter worden maar wat dan nog?

Ik zie de vorm van mijn tenen in mijn laarzen. Ik krul ze op en kijk naar de kleine lichtplekjes waar mijn voet tegen het leer drukt.

We zouden iets moeten eten, zegt hij, Gary kan verrekken. Waar zit je nu aan te denken?

Ik probeer me mijn moeder voor te stellen.

Ze was vijftien, maar heel vrij. Nergens bang voor.

Herinner je je haar zo?

Ze zou alles voor me hebben gedaan, weet je. Ze hield van me.

Hij zei dat ze dus die fantastische verhouding hadden en dat ze er toen zomaar met Justin vandoorging, van school afging en verdween. Het veroorzaakte opschudding in St. Albans. Iedereen zei dat het niets zou worden met Justin en dat ze haar leven zou verknoeien of verkracht en vermoord zou worden in een vreemd land terwijl ze haar examen had kunnen halen en had kunnen gaan studeren.

Allemaal mijn schuld. Ik heb haar wild gemaakt, zei Harris zacht – en ik merkte dat hij erdoor gepakt was, door de kracht van dat idee, van hem en dat jonge meisje.

Ik had toch verwacht dat ik mijn baan zou verliezen, zei hij, en dus pakte ik mijn spullen en ging haar zoeken. Ik kon haar daar niet zomaar ergens laten zitten zonder te weten waar ze was. Haar ouders deden alsof het niet gebeurd was. Justin was ervandoor gegaan. Ze leefde in een krot op het strand met jou, en ze was al zwanger toen ik haar terugvond.

Nu zat ik recht overeind, mijn adem ontsnapte, mijn hoofd tolde. De kamer herstelde zich weer maar niet snel genoeg.

Nee, zei ik, niet zwanger.

O ja, zei hij – en ik wist dat hij vooroverboog en mijn arm aanraakte, zijn vingers op mijn blouse, hoewel ik het niet echt kon voelen, of misschien voelde ik het toen ik het zag, – dat was ze wel. Een paar maanden nadat ik haar had gevonden werd je broertje geboren.

Mijn broertje? Ik had de smaak van braaksel in mijn mond, mijn stem klonk dik. Ik heb geen broertje.

Paul, zei Harris.

Paul? Het woord bloeide voor me open, bijna vertrouwd. Ik wist niet wat ik ermee moest doen.

Hij boog zich naar me toe, raakte me niet aan maar het voelde wel zo. Mijn wangen waren heet. Ik kon van mijn dronken ledematen niet zeggen waar het één ophield en het ander begon.

Ik heb geen broer die Paul heet, zei ik.

Maar je hebt er wel een gehad, Amy. Een tijdje. Het spijt me echt. Je zou het niet van mij moeten horen – ik dacht dat je het wist, echt waar.

Ik volgde zijn silhouet met mijn ogen. Wat is er met hem gebeurd? vroeg ik.

Nou, hij is gestorven, schat, hij is gestorven. Ik weet echt niet hoe of waarom. Paultje. Ik kan niet geloven dat je je dat niet meer herinnert – je liep altijd met hem te sjouwen, je was erg lief voor hem.

Toen hij die woorden zei, herinnerde ik me de warme zwaarte van een baby in mijn armen en wist ik dat hij de waarheid sprak. Er zijn dingen die je wegstopt, waar je niet aan denkt. Dan duiken ze weer op. Koude lichtjes kropen langs mijn ruggengraat naar boven.

Gary kwam niet terug maar Harris' boosheid erover zakte langzaam.

Hij leek op te vrolijken. Hij leek blij of tevreden of zo. Hij noemde me schatje en liefje. Hij zette een klassieke plaat op – droevige, moeilijke muziek – en daarna ging hij overal lampen aandoen. De lampenkappen zaten onder het stof – echt een mannenhuishouden. Het was al donker, hoewel het nog geen halfvier was. Ik realiseerde me weer helemaal waar ik was.

Toen hij de kamer verliet om te gaan koken, volgde ik hem zo'n beetje, als een dier. Het keukenraam was donker van de bladeren.

Die vervloekte vijgenboom houdt al het licht tegen, zei Harris zacht, ik weet het, zeg maar niets, ik zou hem moeten snoeien maar ik kan het niet opbrengen.

Er lagen overal boeken – opgestapeld op de keukenvloer, in kartonnen dozen in de gang. De meest zijn van Gary, zei Harris, die moeten nog naar de winkel.

Welke winkel? vroeg ik.

In tweedehands boeken – ik heb een zaak, stelt niet veel voor, een klein pandje. Hij houdt de winkel voor me open.

Ik liep weer terug naar de woonkamer en installeerde me op de sofa en terwijl hij stond te koken viel ik in slaap. Ik werd een paar minuten later wakker en voelde zijn grote handen op mijn schouders die me rechtop in de kussens zetten. Wat had ik zin om hem naar me toe te trekken, hem een beetje genot te verschaffen, zijn gespannen en verleidelijke gewicht op me te voelen.

Je bent uitgeput, je hebt een schok gehad, zei hij – en de woorden klonken krankzinnig en vertrouwd.

Hij liet me wat pasta en sla eten, hief de vork naar mijn mond, vertroetelde me met lieve woordjes en gaf me tussendoor een beetje water te drinken.

Ik denk dat ik van je hou, zei ik plotseling.

Hij lachte. Jij krijgt geen wijn meer, zei hij.

De pasta was lekker en ik zei het tegen hem.

Je had honger.

Ik heb altijd honger.

De muziek wervelde rond in mijn hoofd, maakte me wakker, maakte dat ik het leven miste dat ik niet had gehad, de dingen die ik niet had geweten tot hij me ze had verteld.

Het spijt me, zei hij.

Wat?

Dit allemaal. Het spijt me. Zo had ik het me niet voorgesteld, ons gesprek.

Wat bedoel je? Dat is jouw schuld niet.

Ik keek naar zijn prachtige gezicht, wachtte tot alle lijntjes scherp op mijn netvlies stonden.

Ik dacht dat je het wist van Paul.

Ik zat in een pleeggezin, zei ik schokschouderend. Die vertelden me nooit wat.

Misschien wisten ze niets.

Ik wel, zei ik, stopte toen. Ik bedoel, ik herinner me...

Wat Amy? Wat herinner je je? Je lijkt iemand met een goed geheugen...

Er zaten soms dingen in mijn hoofd waarvan ik dacht dat ik ze verzonnen had...

Wat voor dingen?

Ik weet niet. Mijn moeder, dingen van het eiland. Maar ik weet niet of ik me echt een baby herinner.

Je had een grote schok gehad toen je wegging, zei hij.

Het was stil toen we hier alletwee over nadachten.

Ik vroeg weer hoe mijn broertje was gestorven. Wat had hij? Was hij ziek?

Je moet begrijpen, zei Harris voorzichtig, dat ik nooit meer met Jody heb gesproken nadat ik weg ben gegaan. Ik zou het misschien gedaan hebben, maar ze stierf kort na Paul. Het was vreselijk maar ik moest accepteren dat ze mij niet wilde. Ze had het leven dat ze wilde hebben.

Ze had nooit kinderen moeten hebben, zei ik plotseling – en vroeg me meteen af waarom ik dat had gezegd.

Waarom zeg je dat?

Ik gaf geen antwoord. Ik probeerde de rondingen van een babygezicht te zien, de blanke huid van een arm, een been – probeerde het te leiden naar de plek waar herinneringen naartoe gaan. Waar het geheugen is.

Harris zuchtte, raakte mijn hand aan. Je hebt het allemaal verdrongen, zei hij, waar of niet? Je hebt het goed opgeborgen – en dat kan ik je niet kwalijk nemen.

Hield je van haar? vroeg ik.

Zijn gezicht werd kalm terwijl hij erover nadacht.

Ik dacht voortdurend aan haar. Ze zoog mijn leven op, vernietigde al mijn energie voor iets anders, elke mogelijkheid voor iemand anders. Ik wilde háár hebben, hoofd, hart, seks. Ik weet het niet Amy, zou je dat liefde noemen?

Toen zwegen we een hele tijd, dachten erover na. Ik voelde me op mijn gemak bij hem – meer dan ik me bij wie dan ook had gevoeld. Hij had genoeg aan mij alleen in de kamer en dat had ik nog nooit met iemand gehad. Misschien heb je dat in een gezin – of bij echte liefde, die uit het hart komt en niets te maken heeft met al dat gehijg en gewriemel van seks.

De middag druppelde langzaam voorbij maar het kon me niet schelen. Mijn man leek de echtgenoot van iemand anders, onze hond de hond van iemand anders, samen zaten ze daar te wachten, liepen rond in die donkere flat. Zelfs de mannen in de blindentuin waren mensen die ik nooit had ontmoet, dingen die ik halfhartig had gedaan in een stoute droom, zonder de moeite te doen ze echt te beleven. Van nu af aan ben ik anders, dacht ik.

Ik zou graag meer weten, zei ik. Het is moeilijk om maar zo weinig te weten.

Dat begrijp ik, zei hij, per slot van rekening was je erbij.

Ik was erbij, herhaalde ik, kon het nauwelijks geloven.

Toen zei Harris dat hij het liefst van al zou zien dat Gary en ik bevriend zouden raken.

Gary? zei ik, teleurgesteld – want ik was Gary helemaal vergeten – waarom Gary? Waar is hij?

Gary is eenzaam, zei hij. Hij gedraagt zich niet altijd zoals vandaag. Hij was echt onbeleefd en ik ben boos op hem.

Ik lachte. Hij is geen kind meer, zei ik, ik begrijp het niet. Hij lijkt meer te zijn dan een huurder. Is hij familie van je? Is hij je zoon?

Nee, maar dat zou hij wel kunnen zijn. Ik heb hem eigenlijk te danken aan je moeder, aan mijn reactie op haar. Ik ben weggegaan en gevallen voor een andere zwangere vrouw. Fiona deed me op veel manieren aan Jody denken.

Hoe? Op wat voor manier?

Heel veel manieren – hij aarzelde, glimlachte – op heel veel manieren, zei hij nog eens.

En...?

Haar vriendje had haar laten zitten, was bang. Ik was bij Gary's geboorte, hield haar hand vast, en in de maanden die volgden liep ik de hele nacht rond met dat arme huilende joch op mijn schouder. Uiteindelijk, toen hij bijna een jaar oud was, verliet ze ons alletwee.

Ik staarde hem aan en hij lachte en schudde zijn hoofd weer.

Het is waar, zei hij, maar ik – nou ja – ik vond het niet erg. Ik was aan hem gewend geraakt. Ik mocht hem wel – ook al huilde hij altijd en sliep hij weinig. Ik deed er niet moeilijk over. Ik zette de radio aan, rookte een jointje, wachtte tot hij weer bijtrok. Het was niet mijn schuld noch de zijne, ik had hem niet gemaakt. Het greep me niet zo wezenlijk aan zoals bij haar het geval was.

Heb jij hem opgevoed? vroeg ik, zomaar? Heb je nooit geprobeerd om hem terug te geven?

Het is eigenlijk nog erger dan dat, zei hij. Ze kwam hem halen toen hij drie was, maar ze kon het niet aan en gaf hem weer terug. Hij had erg veel verdriet. Hij heeft een tijdje alles ondergepiest.

Stilte terwijl ik dit verwerkte.

Hoor eens, zei Harris, we hebben elkaar pas ontmoet. Je kent me niet, dat weet ik. Het is allemaal een grote schok voor je. Maar denk er eens over na. Als je een beetje tijd hebt voor Gary, dan zou ik graag...

Wat?

Zien hoe jullie overweg kunnen.

Ik zweeg.

Wat? vroeg hij.

Ik weet het niet. Het is iets raar om te vragen, dat is alles, zei ik.

Hij haalde zijn schouders op.

Wat als hij me niet wil leren kennen? zei ik, waarom zou hij dat willen? Heb je daar al eens bij stilgestaan?

Gary heeft zo weinig ervaring, zei Harris, alsof het een of ander correct antwoord was dat hij zojuist had bedacht.

En ik?

Jij niet.

En ik dacht dat ik zo naïef klonk.

Niet flauw doen, Amy, zei hij en ik keek alleen maar naar hem, sprakeloos en wist absoluut niet wat ik ermee aan moest.

Toen was het ineens later, het raam was zwart en ik was niet tipsy meer en we dronken thee met vruchtencake waar hij nog een blik van had gevonden, en ik pikte er de kleverige kersen uit en at ze het eerst op.

Ik ben hier al de hele dag, zei ik.

Waar hangt hij verdomme uit? zei hij, waarmee hij Gary bedoelde.

Hoe dan ook, zei ik, ik ben getrouwd. Wat denk je daarvan? Hoe moet dat met mijn man?

Ik staarde naar de ronde, zachte gaatjes vol kruim en lucht waar de kersen hadden gezeten.

Ik vraag je niet om met Gary naar bed te gaan, zei hij, ik zie het probleem niet.

Ik bloosde. Je weet niets van mij, zei ik.

Amy, zei hij alleen maar.

Hij ging achterover zitten en strekte zijn benen.

Ik stak mijn hand uit en legde drie vingers van mijn hand op zijn knie, waar de stof was versleten en glom. Toen raakte ik zijn been aan, de mannelijke hardheid van de dij. Daarna liet ik mijn hand verder naar boven glijden.

Zijn gezicht bleef onbewogen en hij zei, wat doet je man eigenlijk?

Verkoopt computerspullen, software. Ik lachte.

Dat is niet grappig, zei hij.

Je hebt gelijk, zei ik, dat is het niet.

Hij pakte mijn hand en legde hem terug op mijn eigen knie. Ik keek ernaar.

Gary is een goeie knul, zei hij.

Dat geloof ik best.

Misschien kunnen je man en Gary goed overweg, zei hij, ik bedoel, omdat Gary ook dingen verkoopt – tweedehands boeken met geknakte ruggen en omslagen die eraf vallen. Hij is er dol op. Je hebt mijn winkeltje misschien al eens gezien – ken je dat kleine straatje net naast de brug bij de makelaar?

Ik schudde mijn hoofd. Ik denk niet dat ze met elkaar zouden kunnen opschieten, zei ik.

Eigenlijk, nu ik eraan denk, zei Harris, alsof hij dat zojuist pas had ontdekt, ligt de winkel net naast de blindentuin.

Hij begon te lachen.

Er ging tijd voorbij – minstens twee dagen – en nu had ik een nieuw leven, een nieuw zelf, als het ware gezien door Harris' ogen. Ik wilde hem dolgraag weer zien, maar ik was zo wijs niet te bellen. Vriendschap sluit je niet zo gemakkelijk; dat schrikt mensen af. Ik heb nooit het risico genomen me op te dringen en afgewezen te worden.

Hij was geen jonge man, maar toch dacht ik de hele tijd aan hem – krankzinnige, liefdevolle gedachten en soms ook seksuele. Ik kan het niet ontkennen – ik had hem op die manier graag eens verwend.

Heel die waanzin gewoon verdringen hielp niet. In één dag was mijn leven binnenstebuiten gekeerd. Wat was het dan? Was het liefde? Jezus, het is gewoon een ouwe vent, zei ik tegen mezelf

– een vent met een grote behoefte om te praten. Is praten aantrekkelijk? Ja, hoorde ik een stem in mijn gedachten, praten heb je nooit gedaan, Amy, al die lange, droevige jaren.

Ik dacht er zoveel aan en werd er zo misselijk van dat ik niet zou kunnen zeggen wie het meest stapelgek was, hij of ik.

Die laatste middag veranderde in mijn hoofd in puur goud. Ik beleefde hem steeds opnieuw maar met extra's erbij – bedacht nieuwe, betere antwoorden op dingen die hij had gezegd, vragen die ik nooit had gesteld maar had willen stellen, dingen die ik nooit had gezegd maar had moeten zeggen. Ik haalde me in gedachten die kamer voor de geest tot ik hem uit mijn hoofd kende, op zoek naar aanwijzingen. De enige die almaar bovenkwam was Gary.

Hij had gezegd dat we vrienden zouden worden, dat stond vast, maar wat had Gary er in godsnaam mee te maken?

Twee hele dagen, en ik rookte, wandelde in de blindentuin en ging zoals gewoonlijk op mijn bank zitten, maar was bang dat ik bespioneerd werd. Door hem of door Gary. Ik keek zenuwachtig om me heen, als in een film. Hoe kon ik daarachter komen? Maar alles zag er normaal uit, de paden waren leeg op een paar kerels na, de bladeren lichtgeel en trillend, het verkeer zond zijn blauwe dampen de steile straat en de stad in.

Ik keek om me heen en maakte me vervolgens ongerust dat ik níet werd bespioneerd. Hij had aangegeven dat ik een mysterie voor hem was, iets dat de moeite waard was, maar zou hij me ooit nog bellen? Was dat alles – een samen doorgebrachte middag en een telefoonnummer dat je nooit durfde te draaien? Noch het een noch het ander beviel me.

Ik ging in de blindentuin zitten en toen er een man naderde wierp ik mijn staart naar achter die ik al twee dagen en twee nachten in had en bleef hem aankijken tot hij er niet meer tegenkon en zijn ogen afwendde en toen ging ik weg. Dat was alles. Ik hoorde een paar woorden achter mijn rug bij het weglopen en misschien gingen ze over seks, maar ik luisterde niet. Het pad was vochtig en knarste, er lagen plassen met bladeren en troep erin, groene punten van narcissen piepten door de vers omgespitte aarde.

Mijn haar rook naar wol, huid, rook. Ik pakte mijn staart met zijn slappe elastiekje en snuffelde eraan bij wijze van troost.

Een tuinman met bruine kleren liep heen en weer over de paden en in de verte was iemand een vuurtje aan het stoken. Ik had een hekel aan het geluid van vogels en aan de natheid. Ik zag hoe versleten mijn oude schoenen waren en nam me voor een nieuw paar te kopen. Ik dacht aan hoe ik eruit moest zien, met mijn pijnlijke lippen en vermoeide ogen en mijn handen die ik niet stil kon houden.

En waar waren de blinden trouwens? Ik had nog nooit een blinde gezien in de tuin, die toch voor hen bedoeld was. Zelfs niet 's zomers wanneer je bijna verdronk in de verbazingwekkende geur van al die groeiende planten.

De derde dag belt hij om elf uur. Ik heb gedekt en ben met het koud buffet bezig met Karen, onze koffie staat koud te worden op een tafeltje.

Ik grijp de hoorn.

Amy...

Ja?

Zijn stem en de mijne houden elkaar vast; heerlijk.

Hoe gaat het met je, zegt hij.

Goed. Het gaat goed.

Gary zou je graag willen ontmoeten.

Gary? Ik lik pesto van mijn duim. Gwen gebaart dat ze in de oven broodkorstjes heeft gebakken waar ze Marmite op smeert en of ik er ook één wil? Ik steek een duim op.

Mij ontmoeten? (Wat een giller – die vette kerel zou toch zeker alles liever doen dan mij ontmoeten?)

Maar hij klinkt serieus, wil een afspraakje regelen.

Nou, iets drinken misschien? zegt hij met die dure stem van hem.

Met jou?

Nee liefje, met hem. (Ik hoor dat hij glimlacht, zou het dolgraag zien.)

Als dat alles is wat in de aanbieding is, zeg ik, vertel dan maar wanneer.

Zeg maar een avond.

Het moet 's middags. Ik ben klaar om drie uur.

Oké, zegt hij. Morgen. Waarom ga je niet naar zijn winkel? Ik zal zeggen dat je komt.

Gwen geeft me een broodkorstje aan en ik hou het tussen wijsvinger en duim.

Jezus, zeg ik, ineens heb ik de pest in.

Wat? zegt hij.

Al dat gecommandeer...

Alsjeblieft, zegt hij met zachtere stem, doe het voor mij.

Vertel me maar waar die winkel is, zeg ik.

Ik had mijn man ontmoet via een vriend die me erin had geluisd met een blind date. We pasten goed bij elkaar, hadden alletwee de nodige teleurstellingen achter de rug en waren vrij. Hij vond me lief. Het ontroerde me dat hij me zo helemaal verkeerd inschatte.

We trouwden niet in de kerk omdat we niet in schijnheiligheid geloven en ik droeg geen wit, dat haalt alle kleur weg. Na het stadhuis was er een kleine receptie in de feestzaal aan het einde van de straat waar zijn tante woonde.

Hapjes en schuimwijn en een taart met ons erbovenop – hij en ik die naar het uitzicht van de rest van onze levens staan te kijken. Ik werd er duizelig van, al die tijd die voorbijsnelde aan onze voeten, het witte suikergoed prikte in onze ogen. We sneden hem samen aan, onze twee handen rond het mes, en daar was een foto van genomen die meteen ingelijst op de televisie kwam te staan. Ik sta er lachend op en mijn tanden zien er mooi en sterk uit, maar hij is al een beetje de zeur die hij gaat worden.

Zijn moeder kwam uit het tehuis voor die dag, hoewel het daarna bergafwaarts met haar ging, maar ze was toen nog goed in gezelschap – blij dat ze in een hoekje in haar stoel kon zitten glimlachen en kauwen en slikken en luisteren en een paar keer naar de wc kon worden gebracht.

Er hingen al snel hoefijzertjes en hartjes in ieders haar, roze, geel en zilver – glinsterende feestkleuren. Zijn tante ging rond met een zwarte vuilniszak, plukte dingetjes van de mensen af.

Kijk dat kind daar nu staan stralen, zei ze steeds maar als ze naar me keek en ik wist dat ik er goed uitzag in een roze zijden mantelpakje, een beetje getailleerd, met donkerblauwe hoge hakken en een donkerblauw hoedje met een kleine voile.

Ik had roze gekozen zodat het pakje ook later nog gebruikt kon worden voor een andere gelegenheid maar natuurlijk heb ik het nooit meer aangetrokken. Kleren worden vuil, dus het ging naar de stomerij en bleef in de plastic zak hangen. Doodzonde.

Om zes uur gingen de lichten uit en de disco aan.

Hou van je, zei hij en kuste me op de buitenkant van mijn mond en later, toen Ultravox en The Pet Shop Boys werden gedraaid en er nog wat lichten uitgingen, schoof hij zijn tong naar binnen.

4

Je moet oppassen dat je niet met je tanden over het dunne rubber schraapt en eerlijk gezegd helpt het dat de mijne niet helemaal recht staan. Een overbijter. Mijn mond is aan de kleine kant, dus pijpen is een krachttoer voor mijn kaken. Hij trilt, het wit van zijn ogen flikkert in zijn bleekroze gezicht als ik zijn harde, blauw geaderde pik in mijn mond neem.

Hoe meer ik mijn tong gebruik, hoe sneller ze klaarkomen, en hoe minder mijn kaken pijn doen, en dus zet ik er gewoonlijk graag wat vaart achter. Maar deze keer legt hij zijn hand op mijn hoofd, grijpt mijn haar tot mijn hoofdhuid pijn doet.

Niet zo snel verdomme, gromt hij met een stem dik van begeerte. Zijn schaamhaar strijkt over mijn onderlip, ruikt naar wc. De rosse haren op zijn armen staan recht overeind als een legertje. Alleen zijn buik is wit en zonder haar of sproeten.

Ik doe het langzamer aan. Een man met een stijve maak je beter niet boos. Ik sluit mijn ogen. Hij houdt zijn hand op mijn hoofd maar vriendelijker nu, zijn duim wrijft over mijn haargrens op het ritme van zijn stoten, doet denken aan het aaien van een hond.

Tegen de tijd dat hij klaarkomt heb ik aan mijn bankrekening proberen te denken, maar in plaats daarvan beelden van het eiland gekregen – ik sleepte mijn voeten door het hete, witte zand, mijn broertje hoog boven mijn hoofd, mijn schouders geheven, zijn babygeschater dat explodeert in mijn hart. Als hij ejaculeert, als ik mijn dagdroom kwijtraak, zijn mijn armen gespannen van het verlies en de schok. Zijn zaad spuit in het muntachtige rubber – voelt aan als verlies van bloed, een schokkende straal, onstelpbaar.

Ik kan niet zeggen wat het meeste pijn doet, mijn hoofd of mijn hart. Ik kom overeind om naar adem te happen, huil droog, want de tranen zijn allemaal opgebrand.

Ik wil dit helemaal niet, zei Gary, terwijl zijn grote lijf weerspannig en schrikwekkend de deuropening van Blecker's Bargain Books vulde, en jij ook niet. Ga naar huis, Amy. Maak je geen zorgen. Ik zal hem zeggen dat we elkaar hebben gezien.

En liegen?

Hij haalde zijn schouders op. Het is geen leugen. We hebben elkaar toch gezien?

Oké, zei ik. Ik was het met hem eens maar ik stond in tweestrijd. De gedachte dat hij Harris vrolijk een smoes zou vertellen beviel me niet. En ik wilde ook geen tijd met hem doorbrengen, maar ik wilde ook niet echt weg.

Is dit zijn winkel? vroeg ik, om maar iets te zeggen.

Hij knikte maar hij glimlachte niet en hij hield zijn lange grote arm voor de deur.

Zijn winkel.

Bevalt het je hier? vroeg ik. Hij trok een gezicht waarmee hij aangaf dat het oké was.

Alleen maar boeken?

Ik keek naar zijn stugge, overeind staande bruine haar, zijn dikke gezicht met de uitdrukking van een gevallen engel. Zijn gezicht had iets exotisch – nauwelijks te duiden. Hij keek je niet vaak aan maar als hij het deed dan zag je het.

Alleen maar boeken, zei hij en de manier waarop hij het zei had iets beslists, alsof hij een acteur was of zoiets.

Je spreekt zo... zei ik.

Wat? zei hij.

Ik weet niet. Grappig.

Hij glimlachte, maar niet breed.

Op het raam stond 'Inkoop en verkoop van boeken' en het houtwerk was grof geschilderd in flessengroen, maar zou nog een laag moeten hebben. Buiten stond een doos met paperbacks en op een karton stond geschreven 'Alles voor 20 pence'. Met een pijl naar beneden. De boeken waren verbleekt en gekruld alsof ze in de regen hadden gelegen.

Misschien was het omdat Gary niet in me geïnteresseerd was dat ik niet wilde vertrekken.

Ik deed alsof ik naar de boeken keek, toen zei ik gedag. Het belletje rinkelde toen hij naar binnen ging, maar hij pakte het beet en stopte het gerinkel.

Ik liep langzaam terug over de brug en kocht wat chocolade bij de krantenwinkel en ging in het zonnetje zitten op de bank voor de Yamaha-showroom en scheurde de wikkel er voor een deel af. Het brak zacht onder mijn tanden en de romige zoetigheid smolt op mijn tong en vermengde zich met mijn speeksel. Ik wist niet waaraan ik dacht. Ik voelde dat er iets groots en krachtigs te overdenken viel en dat er in mijn brein geen ruimte meer vrij was voor iets anders.

Het was zo'n dag met een blauwe hemel maar koud als je je jas uittrok.

Ik was misselijk en wilde dat ik die chocolade niet gegeten had.

Ik wilde niet naar huis.

Mijn man zei dat hij zijn target al haast gehaald had hoewel het pas woensdag was.

Goh, zei ik, geweldig.

Het zal niet het goede antwoord geweest zijn, want hij zuchtte diep alsof hij op iets had zitten broeden en het moment nu was aangebroken. Het was donker en warm in de kamer, het nieuws stond aan – heen en weer lopende mannen tegen een blauwe achtergrond. Mijn man zette zijn koffiemok neer, schoof zijn handen in de stugge, vettige vacht van Megans nek en keek me aan.

Ik ga je een eerlijke vraag stellen, zei hij, en je gaat een eerlijk antwoord geven – gewoon ja of nee.

Ik keek naar hem, wachtte – want het was mijn beurt nog niet – sloeg mijn armen over elkaar.

Heb je iemand anders? vroeg hij.

Ik was zo kalm dat ik wilde lachen. Ik zei, denk je dat het dat is?

Al die keren dat je weg blijft – ik ben niet achterlijk – ik ken je rooster.

Ik slikte. Je kent mijn rooster, zei ik – en wist dat het waar was, hij kende het inderdaad.

Geef maar gewoon antwoord.

Ik kende mijn man ook, de manier waarop hij zich in iets kon vastbijten. Hij had zijn woede opgespaard en een besluit genomen en hij moest en hij zou... Er zat al een frons tussen zijn wenkbrauwen.

Er is niemand, zei ik.

Sorry dat ik het vraag, zei hij, maar als je vrouw niet naar huis komt is dat wel wat je denkt.

Ik weet niet waar je het over hebt, zei ik, maar hij viel me snel in de reden.

Waar ben je zondag naartoe geweest?

Je weet waar ik naartoe...

Zeg maar niet Paula, zei hij, ik weet dat het niet Paula was. Je moet iets anders verzinnen, Amy.

Ik ging zitten, tastte naar een kussen, nam het op schoot en speelde met de verende zachtheid.

Ik heb een man ontmoet, zei ik en keek naar zijn gezicht om te zien of hij innerlijk bevroor door die informatie. Ik wilde hem eens goed schrik aanjagen, waarom niet? Die mijn moeder gekend heeft, voegde ik eraantoe.

Hij keek naar me – ogen geklemd tussen harde vleesranden met een streepje vocht erin. Wat, zei hij, wie?

Een man van zesenzestig jaar. Een ex-vriendje van haar. We hebben gepraat.

Wat heeft zijn leeftijd ermee te maken? vroeg mijn man.

Ik lachte.

Ik snap het niet, zei hij. Wat voor man? Hoe heb je hem ontmoet?

Hij heeft haar gekend op het eiland, legde ik rustig uit.

Is het een Griek?

Ik realiseerde me dat die gedachte niet bij me was opgekomen. Nee, zei ik, dat denk ik niet. Zelfs niet een beetje.

Mijn man beet op zijn lip. Hij had er een hekel aan als ik dingen zonder hem deed. Nu wist ik precies wat hij zou doen: twijfel proberen te zaaien.

Hoe weet je dat hij de waarheid spreekt? zei hij. Die man. Waar heb je hem ontmoet?

Ik legde uit hoe Harris in het restaurant was gekomen en dat hij in de buurt woonde.

Ben je bij hem thuis geweest?

Ik knikte.

Hier? In deze stad? Welke straat?

Ik zei het hem – mijn man had het hele stratenplan in zijn hoofd zitten en kende Melly Hill goed, omdat hij er een paar klanten had zitten. Ik zag hem worstelen met feiten waar ik inmiddels aan gewend was.

Wat voor bewijs heb je? vroeg hij.

Wat bedoel je, bewijs?

Van wat hij zegt – dat het waar is?

Ik haalde mijn schouders op. Hij heeft me een foto van haar laten zien.

Mijn man snoof. Een foto! Die kon hij overal vandaan hebben, denk toch eens na. Denk je dat het veilig is om zomaar naar iemand thuis te gaan?

Ik glimlachte.

En hij woont toevallig hier, zo dicht bij waar jij terecht bent gekomen?

Er wonen zoveel mensen hier, zei ik, en voegde er toen aan toe, ik weet het. Ik weet dat het vreemd is maar vreemde dingen gebeuren nu eenmaal en nu is mij zoiets overkomen. Daarom heb ik het je niet verteld. Ik wist dat je zou zeggen, ja ja, dat zal wel, Amy...

Je vertelt me nooit wat, zei hij.

Ik wil je van alles vertellen, zei ik, me afvragend of dat waar was.

We delen niets meer met elkaar, zei hij, jij en ik...

Ik voelde dat er tranen in mijn ogen opwelden en dat kwam goed uit. Ik wil wel delen, zei ik – en nu was het absoluut een leugen maar het ging gemakkelijk.

Schatje, zei hij, met zijn gewone stem – en ik glimlachte en een mooie meisjestraan liep over mijn wang.

Hij stak zijn hand uit en ik pakte hem en liet hem onmiddellijk weer los omdat ik wist dat ik ongesteld ging worden en geen zin had in seks.

Hij pakte mijn knie. Het spijt me, zei hij.

Het spijt me ook, zei ik en verstijfde en liet me kussen.

Op zaterdagochtend kwam Harris langs bij het restaurant.

Hij stak zijn hoofd om de hoek van de achterdeur van de keuken die uitkwam op straat. Colin riep me en ik zag Hetty opkijken om te zien wie er naar me vroeg op dit tijdstip van de dag.

Kom ik ongelegen?

Nee, zei ik met een kop als een biet.

Hoe is het met je?

Goed.

Hij had een tweedjas aan en zijn wangen zagen er droog en roze uit onder de grijze stoppels. Ik had een mes in mijn hand waarmee ik tomaten had gepeld en we keken er alletwee naar om niet naar elkaar te hoeven kijken.

Je hebt Gary gezien, zei hij. Het was geen vraag.

Mijn wangen bleven heet.

Dat is leuk, zei hij, hoe was het?

Wat bedoel je? vroeg ik.

Met Gary. Konden jullie opschieten met elkaar?

Ik legde mijn mes neer op de oranje bierkratten bij de deur en veegde mijn vingers af aan mijn schort. Ik had geen lippenstift op en vond het vervelend dat mijn lippen bleek en schraal aanvoelden.

Wat heeft hij gezegd? vroeg ik hem voorzichtig.

Hij vertelt me nooit iets, zei Harris.

Prima, zei ik, het ging prima.

Met hem moet je zelf het initiatief nemen, weet je, zei Harris, hij is verlegen. Hij zal zelf niets doen. Hij heeft geen zelfvertrouwen. Het heeft allemaal met zijn gewicht te maken. Nou ja, dat is mijn theorie.

Je hebt veel theorieën, zei ik.

Hij glimlachte.

Hij is erg... begon ik.

Erg wat?

Erg – ik zocht in mijn hoofd naar de juiste woorden maar er kwam niets.

Overtuigend, zei Harris, hij is erg overtuigend.

Ik zei niets. Dat was niet wat ik had willen zeggen. Hij was een man die je niet tegensprak. Er was een bestelwagen aan komen rijden en er kwam een man aanlopen met een doos sjalotten. Harris ging uit de weg.

Ik wou dat je niet getrouwd was, zei hij plotseling.

Wat wil dat nou weer zeggen, zei ik.

Gary heeft een vriendinnetje nodig, lachte hij, alsof het heel normaal was dat je zoiets zei.

Ik staarde hem aan. Je bent ongelooflijk, zei ik. En waarom zou hij eigenlijk in mij geïnteresseerd zijn? Je kunt mensen niet zomaar iets laten doen...

Harris keek me even scherp aan. Je hebt natuurlijk gelijk, zei hij, maar ik had het gevoel dat hij me de mond snoerde. Maar ik ken Gary, voegde hij eraantoe, en hij raakte me aan – een vinger op mijn keukenkoude gezicht. Kom morgen eens langs, zei hij. Waarom niet? We zijn thuis, dat weet ik zeker.

O, ik ben bang dat ik iets te doen heb morgen, zei ik.

Maar de volgende dag liet ik mijn man voor zijn sportprogramma zitten en zei dat ik een eindje ging wandelen en merkte natuurlijk meteen dat ik op weg was naar Melly Hill met een drukke Megan bij me – zo'n vervelende bui waarin ze aan alles twee keer moet ruiken. Er stond een stevige wind en de wolken schoven in een groot grijs blok voorbij, de stoep werd ijskoud onder mijn voeten.

Ik liep zo snel als ik kon, negeerde Megan die terugliep naar elk paaltje, negeerde de kinderen die krijsten en fietsten op het glibberige trottoir. Het was schemerig geworden toen ik hun huis bereikte, het licht sijpelde weg. Ik riep Megs en deed haar riem om en snokte er hard aan om het haar te laten merken. Ik kan niet lang blijven, was ik van plan te zeggen, moet de hond terugbrengen.

Maar hun huis was donker, geen teken van leven. Ik liep snel de trap op en drukte op de bel. De dode vogel was verdwenen en er stond een zwarte plastic vuilniszak naast de afvalbak, waar Megan aan snuffelde. Een stapel reclame was in de brievenbus geropt, drie lege melkflessen naast de deurmat.

Ik drukte nog eens op de bel. Geen antwoord.

Het raam had een geelachtige leegheid, alsof er daar niet meer gewoond werd.

Ik liep naar huis met de smoor in, als een kind van wie de snoepjes zijn afgepakt. Ik hield Megan aan de riem en telkens als ze probeerde te treuzelen trok ik haar mee. Voor onze flat ging een straatlantaarn steeds aan en uit alsof hij niet kon beslissen wat hij zou doen.

Binnen lag mijn man te snurken en er was slalomskiën op tv. Megan ging naar hem toe en snuffelde aan zijn benen alsof daar iets te vinden was.

Ik had nooit een kind gewild – zag niet in wat voor zin het had een nieuw mens te maken die afhankelijk van je was en die je hart zou breken en alleen maar kritiek op je zou hebben als het verkeerd ging.

En Freddy was de enige baby die ik ooit heb gekend en ik haatte hem. Het eerste teken dat hij op komst was, was toen Eileen mijn schoolboek onderkotste en hoewel het gekaft was met plakplastic, bleef er altijd die zwakke, zoetige geur van braaksel aan hangen.

Freddy werd met een slacouvert uit Eileen getrokken. Ik dacht aan de scherpe, koude metalen vork en lepel die in haar spleet rondwoelden en ik kreeg het er vanbinnen warm van. Er zaten deuken in Freddy's hoofd en het was bedekt met spul dat aan meeldauw deed denken, en zijn huid was geel als de duim van een oude roker. Hij huilde aan één stuk door. Het was niet moeilijk om hem te haten.

Toen kreeg Eileen problemen met haar hormonen en gooide ze een sauskom naar Brian en kwam er Allesbinder tussen de knoppen van de tv en daarna kon je ITV nooit meer helder ontvangen.

Er was een meisje op school dat een klein knipmes in haar rugtas droeg. Haar mama had stilletjes schoonmaakmiddel geslikt en was gestorven. Het was een depressie door hormonale problemen. Ik was zo bang dat Eileen op dezelfde manier zou gaan en dat ik dan in een tehuis gezet zou worden.

Soms nam Brian de baby mee in de auto en reed een paar keer rond het blok en sloop dan weer de hal in met een versteende blik op zijn gezicht. Het was om te lachen, die grote zware man die het in zijn broek deed en dat wurm van een baby die de baas speelde. Fred viel snel in slaap maar zodra de reiswieg op de grond werd gezet vlogen die varkensoogjes weer open en dan begon het allemaal opnieuw.

Het verbaasde me niets dat Brian ervandoor ging met die jonge, strakke Filippijnse, maar ik was verbijsterd dat hij haar nog een kind bezorgde ook. Je zou toch denken dat ze iets hadden geleerd. Nog eens al dat gekrijs en gezeul. Je zou het je ergste vijand niet toewensen.

Maandag was het restaurant gesloten zoals gewoonlijk, en dus spraken we allemaal in de stad af om iets te gaan drinken: Stuart en Paula en Gwen en Karen, Mervyn, ik en Colin de andere tweede kok.

Na een snel glas in Landers zei Stuart, waarom pakken we niet met z'n allen de twee auto's (Paula's Honda en Stuarts roestige 2cv) en rijden we naar Cold Wenton waar het veel leuker is?

Het maakt mij niet uit, zei ik, want een kroeg is een kroeg wat mij betrof en ze werden er niet goedkoper op buiten de stad, maar ik ga niet in één auto met die klootzak van een Mervyn.

Jezus, zei hij, maar ik was niet van plan om ergens naartoe te rijden met zijn adem in mijn nek, en dus reed ik mee met Stuart en Gwen.

Het was een kwartier rijden – het was donker en het miezerde. Onderweg vertelde Stuart dat hij Tantes graf was gaan bezoeken.

Hoe was het? vroeg Gwen, zacht en eerbiedig.

Nou, het ging wel, eigenlijk, zei hij, met zo'n gemaakte opgewektheid in zijn stem waar je kotsmisselijk van wordt. Ik had er wel een goed gevoel bij – een zekere rust, als je begrijpt wat ik bedoel.

Ik zei, rot toch op met je zekere rust, maar hij bleef glimlachen op zo'n christelijke manier waar je razend van werd en ik zag zijn grote adamsappel op en neer gaan in de flikkering van het licht van passerende auto's. Hij was bedekt met korte haartjes. Ik vroeg me af hoe hij zich scheerde zonder erin te snijden.

Amy, ik weet wat je denkt, maar echt waar, ze heeft rust gevonden.

Wat is er zo grappig? vroeg Gwen me, omdat ik het niet kon helpen en in de lach schoot.

Een graf is een gat in de grond, zei ik, een lijk is een lijk. Wat is daar nu verdomme zo rustig aan? Ik ken geen enkele dooie die niet liever weer levend zou zijn.

Het was even stil en ik voelde dat ze me allemaal maar een triestige stakker vonden met een onromantisch beeld van de dood, zonder één te kunnen worden met God en rust en zo.

Voor ons kroop een hermelijnachtig beest over de weg, zijn ogen lichtten groen op in de koplampen. Kijk uit! zei Gwen en Stuart remde, tuurde voorover geleund over het stuur zoals ze dat doen in slechte films.

Maar je kunt toch niet weten, zei Stuart ten slotte verschrikkelijk edelmoedig en begripvol, hoe de doden zich voelen?

Ik lachte.

Ze voelen niks, zei ik. Wat is er mis met niks?

De ogen van de hermelijn hadden een lichtpuntje achtergelaten, dat nu tot rood vervaagde. Ik geeuwde zo verschrikkelijk dat mijn kaak klikte. We stapten uit. De lucht was bitter en zwaar van houtrook die de achterkant van je keel prikkelde en je ogen deed tranen.

De tafel in de kroeg was plakkerig dus ik zette mijn tas op de stoel naast me. Ik wilde dat ik niet was meegegaan, dat ik iedereen in de stad had laten blijven, dan had ik er vroeg tussenuit kunnen knijpen.

Wat is er? zei Mervyn, met de bedoeling om aan mijn rechterkant te komen zitten. Hij vond zichzelf zo geweldig – hij was het type dat mannenblaadjes las en ze zichtbaar uit zijn zwarte kunststof tas liet steken in de achterkamer op het werk.

Toen hij een hand op mijn schouder legde, knetterde mijn huid van de haat en ik zei dat hij moest opflikkeren.

Allesbehalve een flikker, zei hij.

Stuarts autosleutels met een rubberen gebakken ei eraan lagen op tafel en ik pakte ze en voelde eraan en legde ze toen weer neer en rolde de rood met zwarte placemat op en weer af.

Colin zei iets zinloos, boerde en verontschuldigde zich.

Karen zette mijn wodka-tonic voor me neer.

Ik bedankte haar en keek hoe ze bankbiljetten weer in haar portemonnee stopte.

Ik vouwde de placemat vier keer op en probeerde het een vijfde keer te doen, maar dat lukte niet. Brian had me ooit eens verteld dat er een vast aantal keren is dat je iets kunt vouwen, hoe groot het ook is. Hij deed het met het servetje in een Chinees restaurant en later met mijn gegomd origamipapier en dat ging inderdaad precies hetzelfde aantal keren.

Paula vertelde Karen over het viersterrenhotel in Kiddenton waar zij en haar man naartoe gingen voor hun trouwdag. Je krijgt champagne en bloemen en een jacuzzi op de kamer, zei ze.

Ik moest lachen bij de gedachte aan haar en manlief samen in een jacuzzi.

Wat is er? zei ze.

O, niks, zei ik hoewel ik kotsmisselijk was van die verhalen over haar leven – dat ze getrouwd was met een brandweerman en lid was van Mensa en dat haar hond die ochtend in de badkamer was geweest en haar anticonceptiepillen had opgegeten.

Gwen en Stuart hadden het over een tv-programma waarin werd gezegd dat het tijdstip van de dag waarop je geboren bent je hele persoonlijkheid bepaalt.

Zeg eens, Amy, hoe laat ben jij geboren?

Ik zei dat ik niet in die flauwekul geloofde, maar ze lachten alleen maar en zeiden dat ik het moest zeggen of dat ze het anders moesten raden. Ik stond op.

Ik weet het niet, zei ik. Sorry.

Ik lachte, maar de kamer vervaagde rondom me, de contouren van de mensen liepen in elkaar over als op een onscherpe foto. Iedereen was in het bruin gekleed, of dat leek zo in ieder geval.

Even naar de wc, zei ik.

Hulp nodig? Mervyn streek over mijn achterste met zijn vingers.

Handen thuis, zei ik.

Toen ik naar de deur liep met het vrouwelijke symbooltje erop, zag ik een jonge, dikke man in z'n eentje in een hoekje bij de bar zitten. Het was Gary. Hij herkende me meteen en knikte dat ik moest komen.

Ik wist niet wat ik moest zeggen. Hij zei hallo.

Hij schoof op, heel rustig en helemaal niet verbaasd. Hij had een beige-achtig linnen jack aan, veel te dun voor het koude weer, en een wollen sjaal om en naast hem stond een roze plastic tas. Zijn gezicht was moeilijk te peilen in het gedempte licht.

Ik ging zitten en hij zei iets dat ik niet verstond. Hij zei het nog eens.

Iets drinken? Wil je iets?

Ik heb al, zei ik, en keek over mijn schouder. Daar.

Hij volgde mijn blik. Hij moet Paula en Gwen en de rest hebben gezien, maar hij liet dat niet merken.

Maar ik heb geen zin om daar naar terug te gaan, gaf ik toe, toen ik het besefte.

Hij glimlachte – de eerste keer dat hij tegen me glimlachte – en het was leuk om te zien, zijn gezicht dat me ineens in volle kleuren toestraalde.

Hij bestelde een nieuwe wodka-tonic, met ijs, geen citroen. Het stond op het viltje met een schep smeltend ijs. Er zat lippenstift van iemand anders op de rand van het glas, dus draaide ik het om en dronk van de andere kant.

Vuil glas? vroeg hij bezorgd.

Geeft niet.

Ik ben met de auto, zei hij, ik kan je een lift naar de stad geven als je wilt.

Ik bedankte hem. Ben je helemaal alleen?

Hij deed of hij om zich heen keek. O jee, zei hij, ja, ik denk het wel – en ik lachte een beetje omdat hij aardig probeerde te zijn.

Ik ken je niet, zei ik.

Hij fronste.

Ik wil niet...

Wat? Hij keek me aan.

Ik bedoel, je hoeft niet bij me te zitten alleen maar omdat...

Alsjeblieft, zei hij, en keek naar de vloer met zijn patroon van plakkerige afdrukken van rubber voetzolen. Blijf alsjeblieft bij me zitten.

Waar is Harris? vroeg ik om iets te zeggen.

Hij haalde zijn schouders op en trok zijn wenkbrauwen op, om me duidelijk te maken dat het zijn zaak niet was.

Daarna zaten we een tijdje te zwijgen, maar dat vond ik niet erg. Iemand had muziek aangezet en ik zakte lekker onderuit op mijn stoel en nam zelfs niet de moeite om naar de anderen te kijken.

Wat zit er in die zak? zei ik, doelend op de roze tas en hij glimlachte en gaf hem aan. Hij voelde licht en zacht aan.

Ik stak mijn hand erin en haalde er iets uit wat een klein handdoekje leek met bleke gestreepte kleuren. Hij keek naar mijn gezicht.

Babykleertjes?

Hij nam ze uit mijn handen en spreidde ze uit op zijn enorme knie. Het waren drie vestjes met drukknoopjes, een hansopje en een hoedje met oorflappen.

Ik vroeg of hij een baby had.

Nee, hij glimlachte, ze zijn voor het kind van mijn zus.

En je bent die zelf gaan kopen?

Hij knikte.

Mijn God, zei ik, mijn man zou dat nooit doen.

Ik wist niet dat je getrouwd was, zei hij snel.

O nee? vroeg ik verbaasd.

Nee.

Ik wist niet dat je een zus had.

Hij glimlachte. Dat hebben er wel meer.

Waar woont ze? vroeg ik.

O, ver weg, zei hij. Een ander land.

Waar?

Dat vertel ik je wel een andere keer.

Waarom zo geheimzinnig?

Er is niets geheimzinnigs aan. Het speelt nu geen rol. Ik vertel het je wel eens.

Ik keek naar de kleertjes op zijn schoot.

Zullen ze passen? vroeg ik.

Misschien niet, zei hij, tegen de tijd dat ze daar zijn.

Hij stopte ze één voor één terug in de zak.

Hoe heet de baby? vroeg ik en hij leek er even over te moeten nadenken.

Ellen, zei hij en ik zei, leuke naam.

Hoe kan je een zus hebben? vroeg ik en hij begreep duidelijk niet wat ik bedoelde, dus vertelde ik hem wat Harris had gezegd, over dat hij hem had opgevoed vanaf dat hij heel klein was.

Zijn gezicht stond ineens gesloten en hij zette zijn glas neer maar hij zei niets.

Wat is er? vroeg ik.

Hij begon te praten en leek zichzelf toen het zwijgen op te leggen. Toen zei hij, luister Amy, vergeet dit maar. Ik maak geen grapjes of zo. Maar je kunt Harris beter niet vertellen dat we dit gesprek gehad hebben.

Wat bedoel je? zei ik, is het niet waar wat hij me verteld heeft?

Wanneer hij je iets vertelt, stel je er dan maar geen vragen bij. Zeg niets. Het doet er niet toe.

Maar...

Hij heeft me geholpen, zei Gary, op allerlei manieren.

Maar hij is een leugenaar?

Hij is een goed mens. Meer kan ik niet zeggen.

Ik lachte boos omdat het hele mysterie me ineens stom leek. Maar vertel me dan, zei ik, waarom hij me een leugen heeft verteld?

Het is geen leugen, zei Gary.

Waarom zou hij tegen me liegen? zei ik, hem negerend. Hij zou tóch weten dat we elkaar gesproken hadden. Hij wilde dat we elkaar zouden ontmoeten. En als dat eenmaal zover was, zou je me toch de waarheid vertellen.

Ja, zei Gary, je hebt gelijk. Zullen we het daarbij laten? Oké?

Hij zei het alsof hij zich had afgesloten voor het onderwerp, alsof het hem niet meer kon schelen.

Ik begrijp het nog steeds niet, zei ik.

Probeer het maar niet te begrijpen, dat lukt toch niet. Ik zei al, het speelt geen rol.

Overal om ons heen waren lachende mensen maar ik voelde me verschrikkelijk, helemaal leeg. Ik had nog meer vragen.

Waarom ben je weggegaan, die dag dat ik er was?

Gary pakte zijn sleutels.

Je zult me verachten als ik het je zeg, zei hij.

Ik veracht geen mensen.

Oké dan. Ik was bang, zei hij.

Bang?

Van jou.

Ik staarde hem aan.

Begrijp je? zei hij. Kom op – hij zette zijn glas neer en raakte mijn arm aan. Tijd om te gaan.

Zijn auto – ik weet niet wat voor merk het was – was zo'n oude rammelkast die je gedeukt op straat ziet staan met een 'Te Koop'-bordje erop en een optimistisch persoon ernaast.

Loopt op zijn laatste benen, zei Gary terwijl hij een paar keer nodig had om het portier te sluiten.

Kan je geen nieuwe kopen? vroeg ik. Ik was gewend aan mannen als mijn echtgenoot, die idolaat waren van auto's.

Waarom zou ik? vroeg hij. Deze rijdt nog.

De gordels wilden niet vastklikken en het ventilatierooster voorin ging ook niet dicht als je aan de knoppen draaide zodat het binnenwaaide. Achterin lag een deken die onder de haren zat.

Heb je een hond? vroeg ik, want ik hield van alle honden behalve van Megan.

Nee, zei hij. De collie van een vriend rijdt soms mee. Vroeger had ik wel een hond. Ik zou er wel weer een willen.

Ik vroeg hem wat voor ras het was en hij zei o, niks. Gewoon een vuilnisbak.

Toen vroeg hij of ik er een had en ik vertelde over Megan, maar niet dat ik een hekel aan haar had. Ik zei dat ik graag zou fokken – echt serieus voor wedstrijden en zo.

Grappig, zei hij, ik ook – en ik vond het aardig dat hij dat zei, ook al was het misschien niet waar.

We reden zwijgend. Ik dacht nog steeds na over wat hij me verteld had. Ik was ook zenuwachtig, vroeg me af of Harris gelijk had, dat Gary mij bezig had gezien in de blindentuin. Ik vond het een heel vervelende gedachte. Ik dacht aan al de keren dat ik had geprobeerd om iets te snappen, en het mijn eigen schuld was dat ik het niet deed. Deze keer was dat niet het geval, maar het hielp niets om dat te weten.

Na een paar kilometer zette hij de verwarming zachter en in de stilte zei hij, vertel eens wat over jezelf, Amy.

Harris weet alles, zei ik, hij weet meer dan ik.

Ik zou het liever van jou horen.

Welk gedeelte wil je horen?

Wat je maar wilt vertellen.

Dat maakt het moeilijk, zei ik – en toen, voor ik kon nadenken, hoorde ik mijn stem zeggen dat ik was geboren op het eiland Eknos...

Eknos? zei hij.

Ergens in de Middellandse Zee.

Aha, zei hij.

Weet je waar het is?

Zo ongeveer.

Ik niet, zei ik, en voegde er ik weet niet waarom aan toe, Harris weet het wel.

Luister eens, ik heb een enorm respect voor Harris en zo, zei Gary plotseling, maar we zijn niet zo dik met elkaar als jij lijkt te denken.

Waarom zeg je dat? vroeg ik. Wat denk ik dan?

Ik weet het niet, zei hij, ik weet niet wat je denkt. Ik vond gewoon dat ik het moest zeggen.

Ik dacht erover na. Het moest gezegd worden. Harris en Gary begonnen zich nu voor mijn ogen los te maken van elkaar, zich te splitsen in twee verschillende mensen – twee poppen, de één dik, de ander dun. Ik glimlachte en keek naar de kronkelige donkere weg. Hier en daar spatte wat regen op.

Ik ben om vier uur 's morgens geboren, zei ik, alweer verbaasd over hoe gemakkelijk de woorden eruit kwamen, het tijdstip waarop de meeste mensen sterven.

Vind je dat belangrijk? vroeg hij me snel.

Wat?

Dat je toen geboren bent?

Ik lachte en hij lachte ook. Hij pakte sigaretten uit zijn zak en trok er een uit met zijn lippen en bood me er ook een aan. Ik schudde mijn hoofd en vroeg me toen af waarom ik had geweigerd terwijl ik me zo zenuwachtig voelde.

Een verpleegster heeft me dat verteld, zei ik. Waarom sterven mensen juist dan? Heb jij een idee?

Zal wel met metabolisme te maken hebben, zei hij en ik realiseerde me dat hij zijn intelligentie voor mij verborgen had gehouden, zoals vriendelijke mensen dat doen.

Harris vertelde me dat ik een broertje heb gehad dat dood is gegaan, zei ik.

Heeft hij je dat verteld? Wist je dat niet?

Ik weet het niet zeker, zei ik, en vroeg het me af. Het is moeilijk te zeggen. Een deel van me leek het te weten en een ander deel niet. Waarom? Denk je dat dat ook gelogen was?

Gary leek hier even over na te denken. Wat denk je zelf, vroeg hij.

Ik denk het niet, zei ik. Het was alsof iemand me iets vertelde wat ik altijd al geweten heb. Maar – bedoel je dat het – een leugen was?

Nee, zei hij.

Maar het zou kunnen, drong ik aan.

Hij zweeg weer even. Nee, zei hij, dat denk ik niet.

We zwegen, zwarte regen op de ruiten.

Hij lijkt – begon Gary.

Wat?

Nou, zo gek op je – zo dolblij dat hij je weer is tegengekomen. Je ontroert hem, hè?

Wat bedoel je, ontroert? vroeg ik.

Het is een grappig figuur, was al wat Gary wilde zeggen.

Hij zegt dat hij van mijn moeder hield, zei ik.

Ja, zei Gary.

Ik keek naar de zijkant van zijn dikke gezicht, blauwig door het licht, sporen van stoppels op zijn volle wangen. We reden door de donkere laan die op de hoofdweg richting stad uitkwam. Gary tuurde naar de weg. Aan beide kanten van ons waren verre witte lichten.

Vergeet alsjeblieft wat ik je vanavond heb verteld, zei hij plotseling, ik bedoel in de kroeg...

Je hebt me niets verteld, zei ik.

Oké, vergeet dan wat ik heb gesuggereerd.

Ik zei niets.

We zwegen een tijdje, met alleen het gerammel van de auto en het geruis van de nacht. Toen zette hij de auto plotseling aan de kant en stopte. Hij zette de motor af en deed de lichten uit en ik zag de heldere bleke vorm van de maan een seconde voorbij schuiven voor hij weer achter een wolk verdween.

We waren nergens. Voor ons een hek met een modderig paadje, net naast de weg. Geen auto's te bekennen, niets. Ik vermoedde dat de dunne vormen die bogen in de zwarte lucht waarschijnlijk bomen waren.

Wat is er? vroeg ik, toen hij daar zo voor zich uit bleef staren met zijn handen op het stuur.

Hij nam een laatste trek van zijn sigaret, drukte hem uit in de asbak die overvol was.

Amy, zei hij, zonder naar me te kijken maar voor zich uit starend. Er speelde een zenuwtrekje over een ooglid en het was alsof ik heel even in zijn lichaam kon kijken.

Wat?

Ik moest ineens bedenken...

Wat? zei ik.

Ik vroeg me ineens af hoe het zou voelen als jij op me lag.

We zwegen, de woorden waren het enige wat bewoog. Ik deed mijn best om de nieuwe situatie te verwerken. Van alle mannen die ik was tegengekomen, had er nog nooit één zoiets gezegd.

Je vroeg je af hoe dat zou aanvoelen? zei ik, half lachend, half bang.

Hij zuchtte, legde zijn voorhoofd op zijn handen die nog op het stuur lagen.

Neem je me in de maling? zei ik, of dacht ik, maar het kon me niet schelen.

Hij bewoog niet. Nee, zei hij eenvoudig.

Ik vroeg een sigaret en hij gaf me er een zonder op te kijken – en zijn aansteker, eentje van roze plastic. Ik inhaleerde en voelde mijn lichaam dankbaar reageren.

Bedoel je dat je zin hebt in seks? zei ik en lachte, hoewel ik innerlijk teleurgesteld was.

Hij huiverde. Ik weet niet wat ik zeg, zei hij.

Ik had ineens medelijden met hem. Hij was aardig. Ik zag hem best honden fokken op het platteland – en ik had er respect voor dat hij bijna eerlijk tegen me was geweest over Harris.

Het is oké, zei ik. Alles in orde. Tegen mij kun je alles zeggen wat je wilt, ik ben niet zo gauw gechoqueerd.

Het gaat niet zozeer om wat ík wil.

Wil je over je pik praten?

Hij schudde zijn hoofd, glimlachte toen. Je bent een lieve meid, weet je.

O, zei ik, en was de draad kwijt.

Hoogspanningsmasten zoemden boven onze hoofden. Naarmate we bleven zitten raakten onze ogen gewend aan de duisternis en ik zag een stuk grijswit plastic wapperen in de heg. De beweging maakte me paniekerig.

Ik werd zenuwachtig van hem omdat hij niet naar me keek, hij zat de hele tijd na te denken en ik was mannen gewend die niet nadachten en gewoon een stijve hadden.

Het spijt me, zei hij.

Dat is nergens voor nodig, zei ik.

Ik wilde je geen rotgevoel geven.

Ik voel helemaal niks, legde ik uit – en dat was echt waar – ik kan niet voelen waar mijn lichaam ophoudt en de rest begint. Ik voel geen dingen meer. Niet op de manier die jij bedoelt.

Hij keek voor het eerst naar me. Altijd? zei hij. Heb je dat altijd? Of alleen om wat ik zei?

Het is helemaal niet om wat jij zei, begon ik hem te vertellen – stopte toen met praten en vroeg me af wat de waarheid was. Hij had me op een af andere manier zenuwachtig gemaakt.

Ik rilde en hij zette de verwarming aan. Ik mag je graag, Amy, zei hij, ik had het nooit gedacht, maar het is zo.

Ik ben een slet, zei ik, vooral om hem af te stoten maar ook omdat het de waarheid was.

Dat moet je niet zeggen, zei hij.

Zou jij graag boven op mij liggen? vroeg ik hem.

Nee – hij keek gepijnigd – ik zou je verpletteren – onder mijn gewicht.

Ik vind je niet vet, zei ik, en ik kan best wat hebben.

Ik stak mijn hand uit en raakte de zijne aan, die nog op het stuur lag. Ik wist niet waarom ik het deed, maar zijn hand was zo warm, zoveel warmer en levender dan de mijne. Ik vroeg me af of de rest van hem ook warm was.

Oké, zei ik, wat zou je doen als ik boven op je lag?

O God, zei hij, ik probeer eerlijk tegen je te zijn. Ik vind dat dat het minste is wat je verdient.

Ik lachte, want het was een nieuw idee, het idee dat ik iets verdiende.

Hij startte de auto en we lieten dat geëlektrificeerde platteland achter ons. We zeiden niets meer tot hij me voor de flat afzette, waar hij mijn hand weer aanraakte.

We zullen hem hierover niets vertellen, zei hij – en ik wist dat hij Harris bedoelde, niet mijn man.

Ik knikte, maar bedacht hoezeer alles uit de hand begon te lopen. Eerst moesten we Harris vertellen dat we elkaar gezien hadden terwijl dat niet het geval was, en daarna moesten we zeggen dat we elkaar niet gezien hadden terwijl dat wel zo was. En volgens hem was Harris degene die leugens vertelde.

5

Het had puur toeval geleken dat Gary en ik elkaar die avond in de kroeg waren tegengekomen en het had mijn eigen keuze geleken toen ik was gevallen voor zijn grote lijf en zijn zachtmoedige, andere manier van doen.

Maar Harris had speciale talenten. Hij had de gave om je te laten denken dat jíj de keuze maakte, je te laten geloven dat alles mogelijk was – dat het lot maar wat aanrotzooide met je. Het was een goede tijd, de tijd die volgde – hoewel ik toen te verblind was door al het nieuwe om het te zien. Juist als ik dacht dat ik iets begreep, dook er een ander, nieuwer gegeven op. Zoals die poppetjes die je opendoet en dan zit er weer een ander in – elk poppetje eet het volgende op zodat het steeds maar doorgaat.

Ik wist wat ik scheen te hebben. Ik wist niet wat er nog ging komen, maar een mens wist toch nooit wat hem te wachten stond? Maar ik heb altijd een enorm verlangen gehad naar het volgende. Mijn man zei dat het één van mijn grootste zwakheden was.

Maart was bijzonder zonnig, vrolijkte je op, deed je geloven dat het al echt lente was.

De lucht was vochtig. Als de zon uit de wolken kwam glijden, verwarmde ze je wangen, polsen, schouders een paar seconden lang. En in de blindentuin stond alles in de knop – er zat een duidelijke, onmiskenbare reinheid in de lucht, lichtblauwe schaduwen op de bladeren. Je rook sap en pril leven – plus een heel zwak vleugje bleekwater uit de wc's.

Het was druk in het restaurant, vol mensen die net hun maandloon hadden gekregen en waren gaan winkelen en die hun boodschappentassen onder de tafels propten. Vesten werden over de stoelen gehangen, oudere paren raakten elkaars vingertoppen aan, staarden in elkaars ogen. Hetty rende rond met een rode kop, riep naar Jack die iets terugriep. De zaken draaiden goed. Het zonnetje maakte dat mensen naar seks verlangden, en dat betekende lange lunches en grotere fooien, dus we hadden er allemaal baat bij.

Ik denk dat ik in heel maart maar twee of drie mannen heb meegenomen naar Mara's huis, stuk voor stuk bloednerveuze types met harde gezichten die snakten naar een onderdanige mond waarin ze hun pik kwijt konden. Het waren zakenlieden, vertegenwoordigers misschien – kerels die de hele dag in een rokerige auto zaten met dozen en presentatiemappen en een reservecolbertje aan een haakje boven het portier.

Ze belden naar het hoofdkantoor met hun mobieltjes en gingen dan naar de kroeg voor een lunch uit de magnetron of stopten bij een benzinestation voor een Fanta of een reep chocolade. Ze hadden witte buiken die ze niet eens probeerden in te trekken, blauwe stoppels rond hun open monden. Wat vonden ze zichzelf fantastisch met hun aktetassen en hun vuile slaapkamerpraat. Misschien kwam het omdat ik mezelf wat beter verzorgd had – mijn haar bijgeknipt, beetje blusher op – maar ik leek vooral dure types aan te trekken.

Hun pik explodeerde net als die van een ander. En dan stopten ze hem terug in de glanzende stof van hun broek.

Daarna ging ik naar de spaarbank, vulde het stortingsformulier in met de balpen aan het zilverkleurige kettinkje. De ruimte was beige en zacht en rook naar geld en grote bureaus en schoon, knisperend papier. Ik had bijna drieduizend pond op mijn rekening staan en die leverden me de hele tijd rente op. Niemand had er een idee van wat voor zakenvrouw ik aan het worden was.

Harris en ik liepen door Isabella Circus. De hemel was paars en vol wolken en er zat één arm vogeltje op een tak, dat ons vertelde dat het elk moment kon gaan regenen. Ik had meelij met dat kleine borstje dat schudde van lucht en lawaai.

Ik heb een grote verbetering in Gary geconstateerd, zei hij. Sinds jij en hij – nou, hij is in elk geval rustiger.

Mijn maag werd heet toen ik me afvroeg hoe Harris het wist. Gary had gezworen dat hij niets had gezegd, dat hij nog steeds deed alsof ik hem niets kon schelen, en ik had nauwelijks een woord met hem gewisseld in bijzijn van Harris.

Je doet hem goed, zei hij, bijna trots. Ik zei toch dat hij een vriendinnetje nodig had.

Ik keek niet naar hem en ik zei niets. Wat zou ik moeten zeggen?

Je moet niet boos zijn, zei hij, het doet me gewoon plezier om hem gelukkig te zien, dat is alles.

Ik zei, je doet altijd net alsof Gary iemand is met wie je meelij moet hebben.

Hij keek geschrokken. Ik heb nooit gezegd dat...

Oké, dat hij hulp nodig heeft – steun, wat dan ook.

Harris schokschouderde.

En hij zegt zo ongeveer hetzelfde over jou, zei ik.

O ja? zei hij snel. Echt? Hoe dan?

O, zei ik al wat stoutmoediger, dat ik de dingen die je zegt niet moet tegenspreken, of ze nu waar zijn of niet...

Maakt hij me uit voor leugenaar?

Ik schrok van de felheid van zijn gezicht, bedacht dat Gary me had gesmeekt dit soort gesprekken te vermijden.

Niet in zoveel woorden, zei ik.

Hij glimlachte, zijn gezicht plotseling chagrijnig en sluw. Je kent ons inmiddels toch, zei hij. Je moet zelf maar oordelen.

Over wat?

Over wie van ons de waarheid vertelt.

Ik probeerde na te denken over wat hij nu eigenlijk bedoelde, maar mijn ergernis zat in de weg. We sloegen de hoek om van Larch Street, liepen langs de Blue Jay Wasserette en de Party Shop waar ze ballonnen hadden met clownsgezichten erop.

Luister, zei Harris, Gary heeft problemen – heeft problemen gehad. Dat kan je mij niet kwalijk nemen. Je weet dat ik dat nooit voor je heb proberen te verbergen.

Daar ga je weer.

Dit hadden we al gehad. Toen ik Harris had tegengesproken, hem had verteld dat Gary alles had ontkend, had hij gekwetst gekeken, maar niet verbaasd. Hij zei dat ik hem moest geloven – dat ik echt een broertje had. En Gary's moeder was ervandoor gegaan

83

en had hem achtergelaten.

Natuurlijk wil hij dat niet toegeven, zei hij droevig. Ik heb lang niet geweten hoe ik ermee om moest gaan, het was allemaal zo nieuw voor me. Hij was erg jong – misschien was het zijn manier om af te rekenen met wat er gebeurd was. Verwerping – met name door een ouder – is nooit eenvoudig, het is een lelijke wonde. Je kunt de leemte niet opvullen en misschien moet je dat ook niet proberen. Ik heb het een tijdje geprobeerd en daarna heb ik het zo gelaten. Ik ben met hem meegegaan. Naarmate hij ouder werd begon ik me af te vragen of ik er verkeerd aan had gedaan het goed te vinden.

Wat goed te vinden?

Nou, zijn bijzondere kijk op dingen – als hij iets op een bepaalde manier wilde hebben, dan kon hij zichzelf, en mij, bijna doen geloven dat het ook zo was. Je moet toegeven dat Gary een beetje anders is – hij zegt of doet nooit wat je zou verwachten.

Ik gaf geen antwoord. Woorden en gedachten tolden door mijn hoofd, maakten me duizelig. Harris legde een arm over mijn schouder, draaide mijn gezicht naar het zijne, zo dichtbij dat ik de koffie in zijn adem kon ruiken.

Ik geef om hem, Amy, zei hij, ik geef om jullie beiden.

Op een dag trok hij een bewijsstuk uit zijn portefeuille: een kiekje van hemzelf die de peuter Gary te eten gaf – een vergeelde baby met twee tanden en een klein mollig gezichtje.

Ik lachte omdat het zo duidelijk Gary was – de bezorgde ogen, het kleine, platte neusje. Je verwachtte gewoon dat de oudere, grotere Gary er elk moment zou uitbarsten, en het babyhuidje in een zacht afgeworpen hoopje op de grond zou achterlaten. Hij had een slabbetje om met vlekken en had de kom met eten omgekeerd op zijn hoofd gezet. Er zat tomaat in zijn haar en troep op zijn gezicht. Harris zag er goed uit, verrukt, moe, en vol van zichzelf. De schaduw van een baard deed hem er vriendelijk en ontspannen uitzien. Hij hield de lepel omhoog alsof hij wist dat hij op de foto ging.

Toen keek ik nog eens.

Het is gewoon een baby, zei ik. Het kan iedereen zijn.

Hij keek me hoofdschuddend aan alsof ik niet meer te redden viel.

Loop je daarmee rond?

Hij lachte verlegen.

Het bewijst niets, zei ik. Je hebt Gary als baby gekend – en dan nog? Hij ontkent niet dat je zijn ouders hebt gekend.

Harris krulde zijn lippen.

Hij keek nog eens naar de foto alsof die hem misschien iets nieuws kon vertellen, stopte hem toen weg.

Geloof maar wat je wilt, zei hij. Het maakt uiteindelijk toch niets uit. Ik zeg iets, en Gary zegt iets anders. Arme Amy, wat kan je eraan doen? Luister, je bent vrij. Je kunt ons alletwee laten staan als je wilt.

Gary moest lachen toen ik het hem vertelde.

Heeft hij een foto van een dikke baby? Lijkt hij op mij?

Een beetje, moest ik toegeven.

En vertrouw je me daardoor minder?

Ik weet het niet, zei ik want ik vertelde Gary meestal de waarheid.

Verandert het iets aan het gevoel dat er tussen ons is?

Ik schudde mijn hoofd.

Als ik je iets vertel, zei Gary, kan je het dan helemaal voor jezelf houden?

Oké, zei ik.

Ik heb onlangs iets ontdekt.

Ik keek hem aan.

Ik heb ontdekt dat Harris hier helemaal niet twintig jaar heeft gewoond zoals hij zegt. Hij is hier vorig jaar naartoe verhuisd van ergens anders.

Ik huiverde, alsof ik het was die ergens op betrapt was.

Hoe weet je dat?

Er kwam iemand in de winkel, zei Gary. We babbelden en het bleek dat ze de mensen kenden die daarvoor in het huis hadden gewoond. Ze zijn er in feite nog steeds eigenaar van. Harris huurt het van hen.

Wist je dat niet? vroeg ik, ook al kon ik het antwoord op zijn gezicht lezen.

Waarom denk je dat hij hier naartoe is gekomen? Naar deze stad? vroeg Gary.

Ik voelde overal stukjes waarheid om me heen, maar ik negeerde ze. Ik weet het niet, zei ik, alsof het een kerstmisquiz was of zoiets. Waarom?

Ik wist wat Gary ging zeggen, maar ik wilde me omdraaien en het niet horen.

Ik denk dat hij jou kwam zoeken, zei hij. Ik denk dat hij hier naartoe kwam omdat jij hier was.

En jij? vroeg ik. Waarom ben jij hier gekomen?

Gary's gezicht sloeg dicht. Dat is een ander verhaal, zei hij.

Ga je hem erover aanspreken – over wat je ontdekt hebt?

Gary keek bezorgd. Nee, zei hij. En je moet me beloven dat jij dat ook niet doet. Hij weet niet dat wij het weten en dat is beter zo. Ik bedoel niet dat je je er zorgen over moet maken – ga gewoon maar door. Denk maar dat het een spelletje is. Het zal interessant zijn om te kijken wat hij doet.

Interessant? Ik huiverde weer, vanwege al dat ontdekken. Ik had mijn leven niet opgebouwd op woorden, of boeken, of waarheden of leugens. Ik was niet slim zoals Gary, en ik kon alle mogelijkheden niet allemaal tegelijk lang genoeg in mijn hoofd houden om erachter te komen wat nu precies wat was. Ik had alleen maar mijn eigen gevoelens om op af te gaan en op dit moment voelde ik me heen en weer geslingerd tussen die twee vreemde mannen die mijn leven waren binnengebroken, geloofde eerst de één en daarna de ander, probeerde beiden te geloven. Soms dacht ik dat ik zou barsten.

Hij heeft gelogen, zei ik. Hij is hier expres gekomen.

En zal ik je eens wat vertellen, zei Gary, ik ben er nog blij om ook.

En hij schaterde het uit – hij leek het allemaal veel grappiger te vinden dan ik – en ik voelde zijn lach ergens in de buurt van mijn baarmoeder omdat hij op dat moment onder me lag, zijn gezicht tegen het mijne, zijn pik in me, zijn tong tegen mijn lippen, zijn handen die me tegen hem aan drukten, me vasthielden zodat hij dieper kon gaan als hij dat wilde. En dat deed hij ook.

Als ik naar adem snakte, glimlachte hij teder en trok zich een

86

beetje terug; als ik ontspande, keek hij me aan en duwde.

Het was er dan eindelijk van gekomen, seks tussen mij en de dikke man.

Het was begonnen in februari, een week of zo nadat we elkaar in die kroeg hadden gezien. Hij had een paar flesjes bier opengetrokken in het stervenskoude kantoortje boven de winkel.

Proost, zei hij, en schoof wat papieren opzij op het bureau om plaats te maken voor de flessen. Hij trok een paar rimpels in zijn neus en dronk.

Er was niet veel plaats, doordat er een gaskacheltje stond en het grote oude bureau en een paar van die houten verrijdbare trapjes en de vloer vol stond met dozen met boeken – oude exemplaren waar de omslag vanaf viel – en stapels boeken tegen de deur en de muren. Het rook er muf naar stof en as en inkt. Pizzakorsten van een week oud lagen te beschimmelen op een papieren bord op de grijze metalen dossierkast.

Ik heb mijn zaakjes op orde, zoals je ziet, zei hij.

Wat zijn het voor boeken, zei ik.

Staan te wachten tot ik ze heb bekeken, zei hij. Nieuwe aanwinsten. Er zal natuurlijk ook rommel bij zitten. Het meeste eigenlijk.

Ik veegde de hals van de fles af met mijn mouw. Waarom koop je ze dan?

Ik heb een huis leeggehaald. Ze zijn goedkoop. Mensen sterven, niemand heeft zin om al die boeken uit te zoeken. Je weet niet wat er tussen zit. Dat is juist het leuke, het niet weten.

Ik moet nogal een gezicht hebben getrokken want hij voegde eraan toe, ik vind dat leuk, niet weten. Andere mensen niet. Jij waarschijnlijk niet.

Ik vind het niet leuk om iets niet te weten, gaf ik toe.

Jij wilt graag weten wat er aan de hand is, waar je aan toe bent. Je neemt geen risico. Je hebt niet genoeg gehad om je de luxe te kunnen permitteren risico te nemen.

Niet genoeg gehad van wat? vroeg ik hem, want ik vond dat hij zijn boekje te buiten ging met me te vertellen wat ik wel of niet had gehad.

Van alles, zei hij, genoeg van alles. Hij kwam naar me toe en ging dicht bij me staan. Ik wilde dat hij me zou aanraken en wilde het ook niet, dus deed ik of ik het niet merkte.

Ik dronk mijn bier uit, keek op mijn horloge. Tien over vijf en ik moest om zes uur beginnen. Ik was naar hem gegaan in plaats van naar huis tussen twee shifts in.

Gary zei, mag ik je iets vragen?

Ga je gang, zei ik.

Ik weet niet hoe ik het moet zeggen.

Neem de tijd, zei ik, en hield de hals van het flesje stevig vast zodat mijn handen niet zouden trillen.

Mag ik je aanraken?

Waar?

Overal.

Ik lachte. Ik weet niet, zei ik, en realiseerde me dat het ja betekende.

Hij moet heel dichtbij hebben gestaan want ik kon de lekkere geur van zijn haar ruiken en de mannelijke vettige geur van zijn oren en neus en het frisse bier in zijn speeksel. Ik voelde zijn adem op me, zo dichtbij als een kus, en waar was ik?

Ik huiverde en stak een hand uit om zijn gezicht te voelen, het deel van zijn ronde wang net onder het oog waar de huid zo mooi blauwig was en schrikachtig en bijna doorzichtig.

Zeg eens iets, zei hij en ik probeerde te bedenken wat ik kon zeggen toen hij me op zijn schoot trok en mijn rok omhoog schoof en mijn slipje opzij deed en zijn vingers in me stak, teder drukkend. De kamer werd heet en ik snakte naar adem.

Hoeveel zijn dat er wel niet? vroeg ik hem toen ik mijn adem weer terug had – want het leken er veel.

Twee maar, zei hij, en zijn stem was haperend en laag. Wil je er meer?

Ik zei niets, en dus stopte hij er nog één in en ik voelde dat ik oprekte voor hem – en toen nog één.

Beter? vroeg hij.

Ik knikte, kon geen woord uitbrengen, ik stond zo wijd open, werd zo in beslag genomen door de hardheid van zijn vingers in me. Hij bewoog ze zachtjes en mijn huid draaide en werd week, alsof er geen scheiding was tussen mijn geklede lichaam en het zijne. Ik sijpelde in hem over, katoen, synthetisch, huid en haar.

Toen hij me kuste, was ik al zo opgewonden dat ik bijna klaarkwam. De kus was zo verschrikkelijk mond op mond, twee plotselinge afzonderlijke vormen die elkaar in de leegte gevonden hadden.

Hij deed mijn benen een beetje verder open – ik stierf van zijn tederheid, ondraaglijk gewoon – en hij voerde me naar dat donkere, nauwe plekje waar je op de rand staat maar er niet over wilt omdat het dan stopt.

Je bent precies zoals ik dacht dat je zou zijn, fluisterde hij.

Hoe dan? hijgde ik.

Vanbinnen. Hij bewoog zijn vingers weer en dat maakte een nat geluid en ik zoog lucht in die naar boeken rook.

Hij moest een doos of zoiets verschoven hebben want er vielen boeken – plof plof – en er waaide stof op. Ik deed mijn ogen open en zag overal dwarrelende stofvlokken. Hij duwde met zijn tong tegen mijn lippen en eerst bood ik weerstand en toen deed ik ze een beetje open.

En toen kwam ik klaar.

Daarna stopte hij zijn vingers in mijn mond om me de zoute plasmaak te laten proeven en toen zei hij triest, als in een achterstevoren afgespeelde film, we houden niet van elkaar, hè?

Ik lachte. Ik tastte naar zijn pik, wilde hem ook wat genot bezorgen, maar hij greep mijn hand om me tegen te houden.

Een andere keer.

Hij raapte de boeken op die waren gevallen. Hij liet me er één zien, gaf het me aan. Het was hard en donkerbruin met een plastic kaft.

Ik dacht dat het een eerste druk was, zei hij, maar er zit verdomme een stempel van een bibliotheek in, kijk maar.

Ik keek er lui naar, nog warm en slap van het klaarkomen. En dus?

Dus is het waardeloos. Hij mikte het achter het bureau.

Maar je kunt het toch nog lezen?

Hij lachte. Ik lees al die boeken niet. En ik zou het trouwens niet willen ook – het heeft in een of andere vieze bibliotheek gestaan, bij mensen in huis...

Vieze vingers, zei ik.

Hij lachte hard.

Zullen we het nog eens doen? vroeg ik, terwijl ik hem schrijlings beklom en mijn vingers rond zijn grote, dikke nek legde.

Wat, nu?

Niet nu, ik moet gaan werken.

Je bent zo lief, zei hij, en plaatste zijn handpalmen op mijn ribben alsof hij gitaar ging spelen. Ik heb dit nog nooit gedaan.

Wat nooit gedaan? zei ik – maar hij kuste mijn vingers als antwoord – zullen we het morgen doen? stelde ik voor.

Oké, fluisterde hij, maar niet tegen Harris zeggen.

Toen ik die nacht thuiskwam, zat mijn man in bed op me te wachten, met een glas Madeira in zijn handen. Hij was dol op dat soort kleverige volwassen drankjes – waar je een vingerhoedje van drinkt en waarvan de rest op een plank blijft staan te verstoffen.

Iemand van kantoor heeft je gezien in de blindentuin, zei hij met een gemaakt vrolijke stem, heeft je zien praten met een man!

Ik liet me op de gekreukelde zijkant van het bed zakken. Ik was moe – moe van het neuken en denken en opdienen. Het was laat. Mijn haar rook naar bakvet en kruiden. Mijn ogen prikten van vermoeidheid, mijn benen deden pijn, ik wilde alleen maar slapen.

Een man? zei ik, verbaasd dat het juist nu uit moest komen, nu ik veel minder actief was geweest op dat gebied.

Een roodharige man, zei hij, duur type naar het schijnt. Een tijdje geleden al – die collega wist niet of hij het me moest vertellen of niet. Toen besloot hij dat het alleen maar eerlijk was als ik wist hoe het zat.

Ik luisterde naar hem en zei niets. Hij maakte me niet bang met die zorgvuldig afgemeten zinnetjes van hem.

Dat kan, zei ik langzaam. Ik ga er inderdaad wel eens zitten als ik tijd heb tussen twee shifts. Ik herinner me anders geen man.

Vreemd, zei mijn man, gezien het feit dat jullie samen zijn vertrokken.

Ik lachte, stond op, liep naar de toilettafel en deed mijn oorbellen uit, tinkel, tinkel in het schaaltje.

Dan hebben ze iemand anders gezien, zei ik. Waarom zou ik weggaan met een man?

Hij zapte de tv aan, nipte van zijn drankje. Hij zag er gewoontjes, kleintjes, dunnetjes uit, na de grootse dikke schoonheid van Gary.

Daar gaat het niet om, zei hij. Nee, waar het om gaat is, als je met iemand anders zou gaan neuken, waarom zou je dan een lelijkerd met een bierbuik uitpikken?

Dat lijkt inderdaad verwonderlijk, zei ik en trok mijn kleren uit.

Ja, inderdaad, zei hij, instemmend met zichzelf.

Toen neukte hij me. Je zou kunnen zeggen dat ik erom vroeg door me zomaar zonder kleren aan hem te laten zien. Toen zijn handen mijn dijen aanraakten en openden, dacht ik aan Gary en wat zijn vingers hadden gedaan en ik werd nat bij de gedachte, en toen schaamde ik me dat ik me zo in tweeën kon delen.

Toen de ander was klaargekomen, bleef hij een tijdje bovenop me liggen tot ik niet meer kon ademen en toen redde hij me door van me af te rollen en toen zei hij ineens, met een beetje vriendelijkheid in zijn stem, alles in orde, Amy?

Ja hoor, dank je wel, zei ik.

Hoe kan je me aardig vinden? vraag ik hem, met alles wat je over me weet?

Je bent naïef, zegt Gary. Hij zou je ook dingen over mij kunnen vertellen. Ik meen het. Misschien doet hij het wel.

We zitten als twee oude mensen naast elkaar op een bank in Henrietta Park, en nu trekt hij me omver zodat mijn hoofd zwaar in zijn schoot ligt en mijn gelaarsde voeten het uiteinde van de bank raken. Ik voel het bloed door mijn lichaam stromen, ik snuif, er hangt rook in de lucht.

Vind je neuken fijn? vraagt hij me op die rare afgemeten manier van hem. Vind je het echt fijn? Je kan me nu de waarheid wel vertellen.

De waarheid? Ik hef mijn wollen handen op, spreid mijn vingers een beetje en zie er keurige, lichte plakjes hemel door. Niet echt, zeg ik, ik wil liever weten wat er gebeurt en dat kan je nooit goed weten met seks.

Wat valt er te weten?

Ik bedoel, voorbereid zijn, weten wat er gaat gebeuren.

Hou je niet van verrassingen?

Dat klopt, geef ik toe. Verrassingen zijn slecht. Ik meen het.

Dat weet ik. Ben je bang dat iemand je pijn zal doen?

Mijn hart zakt en versteent. Dat klopt, zeg ik weer.

Hij denkt erover na. En gaat dat ook voor mij op? vraagt hij. Wat we doen?

Ik sluit mijn ogen, kan niet voelen of ik glimlach of niet. Ik hou van je vingers, zeg ik.

Maar dat is toch niet echt neuken, wat ik doe met mijn vingers? Hij trekt mijn handschoenen uit en wrijft over mijn handen die zo stijf zijn en schraal van het groenten schoonmaken en van de soda waar we de glazen in wassen op het werk.

Wat is neuken? vraag ik hem. Iets wat ergens in gaat – in en uit voor de lol? Wat doet neuken ertoe? Ik hou ervan als je dingen doet.

Dingen?

Je weet wel...

Zeg het dan, fluistert hij, zeg wat ik doe. Hij speelt nog steeds met mijn vingers, beweegt ze één voor één.

Dat kan ik niet, zeg ik lachend.

Je hoeft je niet te schamen.

Ik kan het niet.

Die mannen, zegt hij dan. Ging je ermee naar hotels?

Geen hotels, zeg ik, geschrokken dat hij dat niet weet. Hoe zou ik dat kunnen betalen?

Hoeveel betaalden ze je?

Het gesprek is van richting veranderd. Ik ga overeind zitten en doe mijn handschoenen weer aan. Hoe weet je dat het voorbij is? Misschien doe ik het nog steeds wel, zeg ik.

Hij kijkt naar mijn gezicht, duwt zijn vingers door mijn haar.

Misschien wel, is alles wat hij zegt.

Ik laat me tegen zijn lijf vallen en dan wordt het ineens allemaal emotioneel met kussen zoals we nog nooit hebben uitgewisseld – kussen die om iets terugvragen. Ik ril, ook al heb ik verdorie net zoveel wol aan als een schaap.

Mijn ingewanden beginnen te ontrafelen, mijn bloed pompt. Ik lik zijn vette naakte vingers. Ze smaken naar zijn winkel en dat maakt me rustig, doet me aan onze seks denken.

April. Ik dacht dat ik dat neuken voor geld echt min of meer had opgegeven, maar tegen het einde van de maand, in Bennett Street, haalde de roodharige man me op een dag in, en bood me twee keer zoveel als de vorige keer.

Loop met me mee naar een bankautomaat om geld te halen, zei hij.

Ik weet het niet.

Ik was zenuwachtig dat iemand ons zou zien. Ik wist niet eens zeker of Mara wel een kamer vrij had. Ik was er niet meer geweest sinds de zakenmannen en ze had altijd meisjes genoeg die de kamer wilden.

Kom op, zei hij. Hij probeerde me niet aan te raken, hij hield afstand. Ik mag je wel, Vicky, je bent mijn type. Het brengt me in de verleiding om je zo op straat tegen te komen.

Ik ben Vicky niet, zei ik.

Maakt niet uit. Kom op, kom op, dan gaan we dat kleregeld halen.

Wat wil je? vroeg ik, kijkend naar zijn blauwig witte gezicht, de dikke kloppende ader op zijn voorhoofd. Hij zag er vies uit. Misschien was hij een bouwvakker. Er zat cementstof op zijn vormeloze jeans en er stak een krant uit zijn kontzak.

Hetzelfde, zei hij, precies hetzelfde als de vorige keer. Dubbel betaald. Ik maak geen geintje.

Ik keek even naar hem en dacht dat als hij er zo verschrikkelijk opuit was, hij wel zo wanhopig moest zijn dat hij bijna meteen zou klaarkomen. Dat betekende dat ik ruwweg vier keer zoveel zou krijgen voor een minuutje werk. Oké, zei ik en we keerden om en liepen terug over de brug.

Woon je hier in de buurt, Vicky? vroeg hij.

Bemoei je met je eigen zaken, zei ik.

Ik vroeg 't maar.

Hij glimlachte suffig, alsof ik hem uit zijn slaap had gehaald. Er stond een aantal mensen te wachten bij de bankautomaat. Het zou natuurlijk weer moeten lukken dat ik een collega van mijn man tegenkwam. Of anders een winkelende Gwen, met haar roze gezicht en glazige ogen. Maar hij stak zijn kaart er snel in en het geld kwam eruit en we zagen er waarschijnlijk uit als elk ander stel, hij die het geld in zijn portefeuille wegstopte, en ik die naast hem meeliep.

Mara zag rood, was snotverkouden en had niet veel aan onder haar kamerjas die eerlijk gezegd wel eens in de was zou mogen. Ze had de tv aanstaan – je zag het bewegende blauwige licht door de kier van haar deur.

Lang niet gezien, zei ze zonder ook maar een blik op hem te werpen en ze zette me in het donkere achterkamertje, om het me te laten voelen, denk ik. De fluorescerende neonlamp was van het plafond gestoten, en je had dus alleen het groenige licht dat door het zijraam naar binnen viel. Er waren lange zwarte haren op het kleed, er lag een tube handcrème op het nachtkastje, waarin geknepen was. Ik nam eerst het geld van hem aan en stopte het in mijn tas.

Ik pakte een condoom uit de la, maar hij liet me niet eens op mijn knieën zakken of zijn rits opentrekken. In plaats daarvan duwde hij me meteen op het smalle eenpersoonsbed, steunde met zijn hele gewicht op mijn borst en dwong mijn mond open met zijn vingers. Ik had hem zijn gulp niet horen openmaken maar dat moest hij toch gedaan hebben want ineens zat zijn blote pik erin – half slap, half stijf – stotend, buigend naar de binnenkant van mijn wang, de zijdeachtige huid schraapte langs mijn tanden, daarna werd het hele hete gevaarte in mijn keel geduwd.

Ik worstelde, stikte, trok aan zijn kleren, maar dat leek hij leuk te vinden – leek hem juist meer zin te geven. Ik voelde zijn kont over mijn ribbenkast schuiven, zijn dijen tegen mijn borsten stoten. Toen hield hij met één hand alletwee mijn polsen vast, de andere klauwde naar mijn bh, trok een tepel bloot en kneep erin.

Mijn ademhaling versnelde heet en gebroken in mijn borst toen hij klaarkwam, de bitterheid van zijn geslacht dat diep in mijn wangen pookte toen ik mijn gezicht zo ver mogelijk afdraaide om niet te stikken.

Toen even niets. Zijn ogen gingen dicht, zijn oogleden waren lila, glad als van een kind. Hij staat ruw op, gebruikt mijn schouder om zich af te zetten.

Hij zegt niets, maar zijn ogen zijn ineens op mij gericht als hij zijn krant pakt en zijn jasje en vertrekt. Hij had zijn geld terug kunnen pakken, maar dat doet hij niet.

Ik spuug en spuug op Mara's groezelige sprei, de smaak blijft hardnekkig aan mijn tong plakken. Na daar even te hebben liggen trillen ga ik zitten, kots, huil – en vertrek voordat Mara me kan binnenroepen voor een babbel.

Het leven is hard, zei mijn pleegvader Brian altijd. Het is geen makkie. Wat is er zo bijzonder aan jou, Amy, dat je verwacht dat het allemaal maar komt aanwaaien?

Brian vergeleek ieders lot met het zijne – hij was zo iemand die het eten met zijn ogen volgde tot het op tafel werd gezet, en snel de appelpunt van een ander met de zijne vergeleek. Hij was zo zelfzuchtig – zei dat het leven niet eerlijk was. Hij ging maar door over alle examens waar hij in zijn leven voor had gewerkt, al zijn diploma's, alsof hij je persoonlijk aansprakelijk stelde of zo.

Zijn ogen waren vochtig van eigenliefde. Hij was een koorknaap geweest en had medailles reddend zwemmen, maar hij zag er bepaald niet uit als een engel en hij heeft ook niemands leven gered. Hij las de bijbel en huilde in de kerk. Hij kende de namen van dichters en mensen die olieverfschilderijen maakten en hij droeg fietsspelden en af en toe een bolhoed. Hij keek op tegen mensen met een titel voor hun naam. Hij zei dat geld niet belangrijk was, maar hij kroop als hij iemand ontmoette die het had. Hij wilde dolgraag een sociale status hebben, hij wilde de Heer des Huizes zijn en zwemmen in het geërfde goud, maar diep in zijn binnenste was hij laag. Je bent het kind van pleegouders, zei hij tegen me, je bent op je pootjes terechtgekomen, maar je moet niet verwachten dat je er financieel van kan profiteren. Hij leek het zowel walgelijk als opwindend te vinden dat mijn moeder een tiener was toen ze mij had gekregen.

Op zondag nam hij ons mee naar de bowlingbaan, Sally en mij en soms Freddy. De hal stonk naar zweetvoeten en het enige wat je hoorde was het gebons van de kegels die omvielen. Je moest zachte, tweekleurige schoenen huren die nooit pasten en ik schopte altijd herrie omdat ik ze niet wilde dragen en ging uiteindelijk gewoon op mijn sokken. Ik wilde niemand mijn blote voeten laten zien – het voelde vies, leek te veel op seks. En ik wilde het zweet van andere mensen niet op me en ik vond het ook niet leuk om mijn vingers in die gaten te stoppen.

Het leek stom dat een man als Brian ging bowlen. Hij was er helemaal niet goed in. Hij vond het gewoon leuk om die stinkschoenen aan te trekken. En de lol om iets omver te kegelen.

Ik ga meteen naar huis – er is niemand behalve Megan. Mijn echtgenoot is gelukkig opgeroepen.

Na een beetje gegorgeld te hebben met mondwater, laat ik het bad vollopen zonder de moeite te nemen er iets in te gooien. Ik dwing mijn hele lijf trappend en spartelend onder water en ik hoor de belletjes in de oranjeachtige schijnduisternis.

Ik zou kunnen wegdoezelen, mijn hoofd onder water houden, maar ik kan het niet opbrengen om in te ademen onder water. Het is je instinct – je móet bovenkomen, vechten voor lucht, hoezeer je jezelf ook haat. Je denkt dat je weerstand kan bieden aan de volgende ademhaling maar het lichaam denkt er anders over.

Als ik deze wereld nu zou kunnen verlaten zonder moeite te moeten doen om het leven eruit te persen, zou ik het doen. Geen pijn, geen gedoe, geen herkansing. Er zou een knopje voor moeten zijn. Er zouden veel mensen op drukken.

Eten, zei Harris toen we over Lansdowne Crescent liepen – een halve cirkel van huizen zo hoog en zo allemaal hetzelfde tegen de brede, vlakke hemel dat je er draaierig van werd – we gaan eten in de Majesty. Ik trakteer. Ik sta erop.

De Majesty had dikke donkerrode tapijten en een lift met een kooideur die dichtschoof als je erin stond, en je betaalde je blauw voor een beetje waterkers en flinterdunne biscuitjes die naar boter en frisse lucht roken.

Er waren vooral oude rijke mensen in de Majesty. Ze liepen rond en fluisterden met elkaar in de poederige stilte of ze dronken hun sherry en vielen zittend in slaap en sommigen hadden jassen van bont.

Ik heb geen honger, zei ik.

Je gaat iets eten. Een sandwich of wat dan ook.

In de salon van het hotel hoorde je alleen maar getik en zag je alleen maar oud bruin hout en schilderijen. Zelfs de spiegels hadden een grijs laagje oudheid over zich, je hele gezicht was stoffig als je erin keek. Een jonge ober bracht sandwiches met ei en mayonaise met de korst eraf gesneden en gloeiendhete Darjeeling in een zware zilveren pot met een potje extra water erbij. Hij was in het zwart-wit, maar je zag zijn Doc Martin's onder zijn broek uitkomen.

Er zaten een paar rustige oude mensen in de salon, maar dat kon Harris niet schelen. Hij rolde een sigaret, hield zijn spullen in evenwicht op een *Country Life* die hij op zijn knieën had gelegd. Er was een stapel kranten, vooral van die vleeskleurige over geldzaken. Het roze fluweel van mijn stoel was versleten en er zat een dikke korrelige stof onder die erg op huid leek en ik moest het strelen. Daardoor kreeg ik het gevoel dat ik moest kotsen. Sinds die blote pik in mijn mond had ik me misselijk gevoeld.

Rol er eens eentje voor mij, zei ik tegen Harris toen ik naar de wc ging.

Ik zal pas inschenken als je terug bent, zei hij.

Ik bedacht dat we heel erg getrouwd klonken.

Beneden waren de tapijten donker en rozig en er stonden pompjes met handcrème bij de verlichte spiegels. Een meisje met een uitdrukkingsloos gezicht ging de rij wastafels af met een spuitbus en een doekje.

Het was zo stil daar beneden dat je haar hoorde ademen. Ik ging niet graag naar de wc als iemand me kon horen, dus legde ik papier in de pot om het geluid te dempen. Ik leegde me langs beide kanten, veegde mijn mond af met toiletpapier, trok door en spoot toen een beetje in het rond met een luchtverfrisser uit mijn tas om de geur te verdrijven.

Er stonden verse bloemen in witte vazen, die hun knaloranje stuifmeel op het marmeren blad lieten vallen. Terwijl je je handen waste, bleef het meisje achter je drentelen en veegde de waterdruppels rond de wastafel weg als je klaar was.

Ik legde tien pence in het schoteltje en hoopte dat ze niet zou weten wat van mij was omdat er ook muntjes van twintig en vijftig in lagen. Dankjewel, zei ze leunend tegen de wastafels en naar me kijkend.

Is het hier zo heet of ligt het aan mij? vroeg ik.

Het ligt aan jou, zei ze en blies de dood uitziende pieken uit haar gezicht.

Boven liep hij rond, deed heel geïnteresseerd in de schilderijen aan de muren.

Hij gaf me mijn sigaret en ik stak hem aan met de zijne, maar na één trek wist ik dat ik hem niet zou kunnen oproken. Ik had het gevoel alsof er zich as ophoopte binnen in me en ik zou kokhalzen. Sorry, zei ik en drukte hem uit op een protserig sierschoteltje.

Wat is er?

Niets. Dacht dat ik er trek in had maar dat is niet zo.

Je moet eten, zei hij.

Ik denk niet dat ik dat kan.

Dwing jezelf ertoe, Amy – ik ga erop toezien dat je iets eet.

Ik meen het, ik kan het niet.

Ben je ziek?

Dat denk ik niet.

Wat is er dan?

Ik weet het niet, zei ik.

Hij keek naar de sandwiches en bleef rook uitblazen en naar me kijken, en even later begon hij weer te lachen.

Je denkt dat je je geheimen voor jezelf kunt houden, maar zelfs Paula met haar Mensa-brein had iets gemerkt.

Hm, zegt ze, wat is er, Amy? Je ziet er anders uit.

Anders?

Je gezicht, ik weet niet – zachter – rond je mond. En je draagt eyeliner. Weet je wat ik denk?

Ik zou het niet weten.

Ik sta juist servetten te vouwen, laat mijn vingers langzaam over het gesteven linnen glijden, vouw op, leg op de stapel en begin aan een ander. Het zien van die perfecte stapeltjes naast elkaar geeft me schokjes van plezier.

Ik denk dat je een verhouding hebt.

Ze geeft de woorden wat nadruk mee, alsof ze daardoor mogelijk of zelfs waar worden.

Ik lach.

Nou? zegt ze.

Dat zou ik echt niet kunnen zeggen.

Omdat ik gelijk heb?

Nee, zeg ik, je hebt ongelijk.

Gwen roept, heeft iemand de Budweiser naar de tafel aan het raam gebracht? Paula gaat hem brengen. Als ze terugkomt zegt ze, je bent een rare meid, Amy. Zo verdomd gesloten, je houdt alles voor jezelf. Vertel je nooit eens iemand wat je van plan bent? Ik heb ooit eens een verhouding gehad, weet je. Zoveel stelt het nou ook weer niet voor.

Wie zegt dat ik een verhouding heb?

Je hoeft je er niet voor te schamen, Amy.

Met wie heb jij dan een verhouding gehad? vraag ik, ineens nieuwsgierig.

O, niemand, gewoon een man die ik heb ontmoet. Ik heb het Ron uiteindelijk verteld.

Heb je het hem verteld?

Hij vond het niet erg. Hij kent me. Hij wist dat het niets te betekenen had.

Waarom doe je het dan? Wat heeft het dan voor zin om te trouwen?

Ik vertel je alleen maar hoe het zat, zegt ze, ik kan je geen reden geven. Ik weet de helft van de tijd niet wat ik doe, laat staan waarom – jij?

Ik glimlach – denk aan wat ik de laatste tijd heb gedaan – om redenen waar ik nauwelijks over heb nagedacht. Ik weet het niet, zeg ik.

Dan zegt Gwen dat nummer vierendertig klaar en vertrokken is en dat als Paula een overgangscrisis heeft, ze dat beter buiten Hetty's gehoorafstand doet omdat er in haar richting wordt gekeken.

Ik maak de servetten af en ga naar de wc – was mijn handen met roze zeep, droog ze af met een papieren zakdoek, bekijk mezelf eens goed. Ik duw mijn haar achter mijn oren, lik over mijn lippen. Is het echt te zien? Heeft de dikke man op een of andere manier een afdruk achtergelaten op mijn gezicht? Ik denk aan zijn kleine, zachte kusjes, denk aan hoe zijn vingers in en uit bewogen en me deden drijven – hoog, hoog, hoger.

Wanneer er niets meer te denken is, ga ik zitten op de dichte klep van de wc, steek een peuk op en zoek naar gespleten haarpunten. Vind er bijna geen een.

De volgende dag hebben Gary en ik afgesproken na de lunchshift, en we gaan naar de speelgoedafdeling van Lilley's waar hij een klein roze plastic hartje voor me koopt aan een sterk dun wit koordje van het soort waarmee je gordijnen dichttrekt. 89 pence, uit de prulletjesbak. We nemen ook twee bellenblaaspotjes met stokjes voor 99 pence per stuk.

Koopje, zegt hij, en doet het hartje om mijn nek.

Ik kus het. Het plastic is hard en warm en glimmend tegen mijn lippen. Hij kust me – heet en nat – en ik hoop dat mijn haar niet naar frituurvet stinkt.

We blazen de bellen vanaf Chantney Bridge. De zon speelt erin, erover, haalt verbazingwekkende dingen uit met de zeep. De bellen dragen flitsen roze, paars, groen en geel met zich mee. Ze trillen en bollen. Eentje blijft even op het bruine water liggen alvorens te barsten. Sommige plakken heel eventjes aan elkaar in de lucht, en spatten dan uiteen alsof ze nooit bestaan hebben.

Ik hou zijn grote dikke hand vast en bedenk dat wat wij samen doen zo gemakkelijk en goed aanvoelt dat het wel gevaarlijk moet zijn.

Je vertrouwt niemand, hè? zegt hij, alsof hij in mijn hoofd kan klimmen en de onderdelen kan sorteren en ze hardop aan een verzameld publiek kan uitleggen.

Op de leuning van de brug zitten twee ineengedoken vogels verveeld naar ons te kijken.

Het leven met mijn man was gekrompen tot iets kleins en benepens en triests.

De volmaakte avond bestond voor mij uit een diep heet bad en mijn benen scheren en alleen naar bed gaan met een tijdschrift, een blikje limonade en een zak chips. Als ik moest werken, maakte ik soms iets klaar voor hem en zette het in de koelkast, of anders ging ik gewoon een lap vlees halen of een moot vis en kon hij het zelf doen.

Vaak had ik dat niet eens hoeven doen omdat hij toch de deur uit ging. Dat zag ik aan hoe schoon de keuken was als ik thuiskwam. Soms at hij macaroni uit een pakje of ging hij met Megan naar de shoarmatent. Soms zei hij dat hij daar naartoe geweest was maar dan was hij wel verdomd lang weggebleven voor even een blokje om.

Hij was iemand die in z'n eentje in de kroeg kon zitten met een kruiswoordpuzzel en in gesprek kon raken met iemand die precies hetzelfde deed.

Op een avond raakte hij in gesprek met iemand die op Melly Hill woonde.

Heb iemand ontmoet die denkt dat hij dat oude vriendje van je moeder kent, zei hij terwijl hij Megans riem aanklikte voor de avondwandeling.

O? Mijn gezicht verraadde me door rood te worden. Mijn man wist niet hoe vaak ik Harris zag, of Gary. Hij wist niets en voorlopig wilde ik dat zo houden. Maar mijn man keek niet naar mijn gezicht.

Nou, niet echt kent, zei hij, maar van heeft gehoord.

O ja?

Ja. Hij zegt dat hij hier helemaal niet zo lang woont, die vent. Zegt dat hij uit het buitenland is gekomen met een paar koffers en dat was alles. Hij is er pas een paar maanden, zei die vent.

O, dat weet ik, zei ik snel, dat weet ik.

Je zei dat hij hier al jaren woonde, zei mijn man. Ik dacht dat dat juist het vreemde eraan was?

Ik weet het. Ik had het mis.

Mis.

Ik weet niet waar je naartoe wilt, zei ik.

En je zei dat hij het vriendje van je moeder was geweest, maar volgens die vent is hij, nou, is hij niet helemaal zuiver...

Ik lachte, ik vond het echt grappig. Ik denk niet dat hij een flikker is, zei ik.

Hij woont tóch samen met een andere vent?

Gary? Dat is zijn huurder – ze zijn gewoon bevriend.

Dat is zeker wat ze jou verteld hebben? zei mijn man, en hij klikte tegen Megan en ging weg via de achterdeur.

De volgende dag was hij enorm met zichzelf ingenomen. Hij had de brui gegeven aan het huwelijksleven. Hij at uit de magnetron en zapte langs de zenders. Hij studeerde voor een paar examens die hem promotie zouden opleveren als hij slaagde.

Niets aanraken, zei hij, als ik in de buurt van de tafel kwam, je laat alles liggen waar het ligt.

Zijn papieren en mappen lagen in dikke lagen over alles heen gestapeld. Hij werd razend als ik probeerde op te ruimen.

Waarom zou ik die rotpapieren van je willen aanraken?

Megan kwam en duwde haar natte, visachtige neus in mijn handen. Ik duwde haar weg.

Hij negeerde me. Hij zat in een ringband te schrijven en keek tegelijkertijd naar een tv-programma over echt gebeurde moordzaken die de politie had opgelost. In een warme nacht was er een studente vermoord bij een kanaal. Ze lieten een foto van haar zien in een kroeg met haar vrienden – blond krullend haar en rode stippen in haar ogen en een brede, extatische glimlach op haar gezicht. Slachtoffers van moord zien er altijd uit alsof ze van het leven genieten. Van mij bestaan er geen foto's waarop ik er zo gelukkig uitzie.

Kom hier, zei hij en probeerde mijn benen en kont aan te raken.

Hij wilde dat we een gezin zouden stichten maar ik stelde me een kind voor dat een mengeling zou zijn van al onze ellende. Of ik stelde me voor dat het spastisch of zo zou zijn en dat wij ons hele leven aan elkaar vast zouden zitten door de tragedie en dat vreselijke dat maar bleef voortduren.

Dus rolde ik altijd een condoom over zijn gretige, paarse, gezwollen pik. Hij klaagde dat hij zich geen echte echtgenoot voelde en hij neukte me zonder tederheid of commentaar en daarna haalde hij het ding eraf en droeg al zijn afgewezen zaad op armlengte afstand naar de badkamer.

Meestal zat ik met hen in de zonnige, stoffige kamer op Melly Hill – de plaats waar ik altijd eindigde wanneer ik 's zondags de doodsheid van onze flat ontvluchtte.

Waar dacht hij dat ik naartoe ging? Het kon me niet schelen, ik wilde er niet over nadenken. Als ik de deur uitging, smolt hij weg tot niets – en ging ik in mijn geheime wereld binnen, onberekenbaar en griezelig en vrij.

De hond stond niet aan mijn kant. Ze was altijd rusteloos in Melly Hill – ondanks de lange wandeling en hondenkoekjes en de aandacht die ik haar gaf. Ze wilde niet gaan liggen – liep langs de muren, veegde met haar staart het stof van de boeken en plofte uiteindelijk neer bij de haard, kwaadaardige ogen op mijn handen gericht. Een opgetrokken zwarte lip, een gemene, nadrukkelijke zucht. Alsof ze wist wat voor kreng ik was.

Ik wilde dat Gary dacht dat ik van Megan hield – dat dit meisje lief was voor dieren – maar heimelijk was ik gemeen tegen haar. Ik fluisterde in haar oor dat ze een stom rund was, dat haar adem naar rotte vis stonk. Ik kneep in haar oren en zei dat ik blij was dat ze er niet vandoor kon gaan en me verklikken bij dat geliefde rotbaasje van haar.

April in Engeland is zo godvergeten mooi. Net als je de hoop verliest is het er, krult de hele wereld zijn mondhoeken omhoog en lacht je breed toe.

In de verwaarloosde tuin van Melly Hill is alles groter geworden, zo gegroeid dat je het niet kunt negeren. Overal frisse jonge scheuten, wilgenkatjes tegen de waterige hemel, gras dat groeit, domme, vastberaden bloemetjes bloeien in de natte, zwarte perken.

Gary en ik staan op het frisse gazon. In de zon lijken zijn afmetingen eerder genereus – exotisch, donker en uitgesproken. Ik kijk met plezier toe als hij zijn voorhoofd fronst en een banaan eet.

Hoor eens, je moet uitkijken voor Harris, zegt hij, nu nog meer dan ooit.

Waarom? zeg ik neutraal.

Echt, Amy, als ik het kon zou ik het zeggen. Ik wil niet geheimzinnig doen en dat soort flauwekul. Ik heb nooit zoveel van iemand gehouden als van jou. Ik wil niet dat je weggaat.

Waarom zou ik weggaan?

Je gaat niet weg. Ik zou het niet kunnen verdragen als je nu wegging.

Ik ga niet weg, fluister ik tegen hem, en mijn stem is zachter dan het gekwetter van de vogels.

Ik weet het, zegt hij, en duwt het eindje van de banaan in zijn grote mond, de schil bungelt in zijn hand.

Ik heb nooit van iemand gehouden, begin ik hem te vertellen – en ik merk dat ik meer wil zeggen maar ik heb de slechte gewoonte om de woorden tegen te houden als ik net begonnen ben.

Hij kijkt naar mijn gezicht en slaat zijn armen om me heen, nog steeds met de bananenschil in zijn hand. Als ik hem knuffel ruik ik de zoete, baby-achtige geur.

Harris is binnen, rolt een dikke joint, kijkt waarschijnlijk naar ons.

We gaan naar binnen en ik ga in de grote stoel zitten met mijn gymschoenen op tafel en zeg alles wat in me opkomt. Soms vertel ik verhalen – flitsen van herinneringen van het eiland. Harris corrigeert me of vult aan. Soms vertel ik een mop en Gary moet altijd lachen als ik de clou verkeerd vertel. Soms zeg ik niets, geniet van de luxe van verschillende soorten stilte.

Vertel eens over je week, zegt Harris dan, en dan vermaak ik hem met verhalen over stomme klanten die we hebben gehad of avonden dat we de benen uit ons lijf hebben moeten rennen of hoe Mervyn is uitgegleden op een stukje vis en zijn pols heeft gebroken en aan het gas moest tegen de pijn.

Ze weten alles over Paula's hoofduitslag en dat Karen overweegt om terug te gaan naar de States hoewel haar man dat niet ziet zitten en dat mensen van het tijdschrift *Gourmet* zijn gekomen om de tapastafel te fotograferen die ik had opgemaakt en wie weet levert dat nog iets op als het bekend wordt?

Naarmate we meer en meer stoned worden gaan we dichter bij

elkaar zitten en de spieren in mijn armen en benen worden soepel, de grens tussen onze lichamen vervaagt, verdwijnt. Als Harris de kamer even verlaat, vloeit Gary's lichaam over in het mijne. Eén blik van hem laat de ruimte tussen mijn benen bruisen.

Gary gedroeg zich alsof ik zijn vriendin was, getrouwd of niet. Hij had niet meer over liefde gesproken – misschien wist hij dat dat niet de manier was om me te versieren – maar hij maakte wel duidelijk dat hij op bepaalde dingen rekende, wachtte, zo je wilt.

Harris zal het niet leuk vinden, zei hij.

Zal wat niet leuk vinden?

Jij en ik – zoals het nu gaat. Hij zal het niet leuk vinden.

Maar, zei ik, hij wilde het, het was zijn idee weet je nog wel? In het begin.

In het begin, ja, natuurlijk. Toen hij de touwtjes nog in handen had. Maar nu...

Wat nu? vroeg ik, en ik bloosde toen ik aan mij en Harris in de blindentuin dacht.

Wacht maar af, zei Gary. Je moet alleen niet verbaasd zijn. Denk aan wat ik gezegd heb.

Misschien had hij gelijk. Misschien had Harris genoeg van hem. Ik zag hoe hij zich voorbereidde om Gary uit te lokken, hoe hij hem omcirkelde, hem heimelijk in de gaten hield en dan ineens tevoorschijn schoot zonder waarschuwing. Ik kreeg de kriebels van dat soort spelletjes.

Van wie van ons tweeën hou je het meest? vroeg hij me, terwijl hij achter ons bleef staan toen we op de bank zaten, en zijn hand als een pet boven op mijn hoofd legde.

Ik hou van jullie allebei.

Even veel?

Even veel, loog ik, het spelletje meespelend.

Maar als je moest kiezen?

Dat zou ik weigeren. Ik zou niet kunnen kiezen.

Maar als je zou moeten?

Dan zou ik niemand kiezen. Ik zou weglopen.

Dat beviel Harris. Hij barstte in een verbaasd lachen uit. Aha!

Maar we zouden je vinden. We zouden je komen halen.

Ik zou haar met rust laten, zei Gary kalm. Ze is al genoeg opgejaagd.

Ik zag dat Harris hem een scherpe blik toewierp.

Hij houdt het meest van me, zeg ik tegen Harris, om hem te pesten.

Je bent naïef, Gary, een dwaas, zei Harris. Liefde is blind, egoïstisch optimistisch, barstend van energie. Liefde geeft niet op. Liefde heeft zijn eigen welzijn, zijn eigen bevrediging voor ogen. Liefde vecht. Wint niet altijd maar gaat er nooit gewoon bij zitten en zegt 'o, nou, dan niet' en doet niets.

Sorry, zei ik, maar wat is dat allemaal over liefde? Wie zei dat ik dat wilde?

Vrouwen willen dat altijd, zei Harris.

Wat bedoel je? Dat je verstand hebt van vrouwen?

Hou je kop, Harris, zei Gary onverwacht krachtig.

Harris wilde nog iets zeggen maar Gary negeerde hem en wendde zich tot mij.

Wat wil je dan? vroeg hij me.

Ik weet het niet, zei ik. Misschien een rustig leven.

Het was even stil. Harris knipperde met zijn ogen.

6

Harris probeerde tijd met me door te brengen zonder Gary erbij. Hij belde me vaak op mijn werk en wachtte boven tot mijn dienst erop zat en soms wandelden we wat of gingen samen in een kroeg zitten.

Soms zaten we in een gemakkelijk zwijgen bijeen, als familie. Ik was gewend geraakt aan zijn uiterlijk, de stoppelige rand van zijn gezicht, het geluid van zijn adem als hij zat na te denken, een idee had. Ik wachtte op – op wat? Dat hij iets zou doen? Ik weet het niet. Zou kunnen. Misschien.

Het was bijna zomer toen we voorbij de blindentuin liepen en daarom stond alles plotseling in bloei, al die wasachtige kleuren in het late licht van de middag. Het gekwetter van vogels, het gezoem van bijen. De verandering was een schok voor me.

Kom – Harris haakte zijn arm door de mijne – laten we een bezoekje brengen.

Hij leidde me naar binnen door het zwarte ijzeren hek en we installeerden ons op een bankje. Het was niet mijn bank. Het was er een aan de andere kant. Dus dacht ik dat hij het niet kon weten en daar was ik blij om.

Wat een bloemen, zei ik ten slotte.

Hij glimlachte. Hoe lang is het geleden dat je hier geweest bent?

Ik bloosde. O, tijden, zei ik.

De bomen waren toen nog harde, scherpe vormen, de lucht was klef en donker op de dagen dat ik met al die mannen was meegegaan. Het leek een ander tijdperk. Op een zoetgeurende avond in mei kon je niet op zo'n manier met een man meegaan, je zou niet naar zijn pik kunnen kijken in het heldere zomerlicht.

Ik bedacht dat er een nieuwe ik naar boven leek te komen die schoon was en warm en onaangetast door de dingen die ik in die lang geleden winter had gedaan. Een tweede kans, zoiets.

Ik weet wanneer je hier bent geweest, zei hij.

Ik gaf geen antwoord, ik denk niet dat hij dat verwachtte. Hij wachtte even, pakte toen mijn kin en lichtte hem op, keerde mijn gezicht naar zich toe. Hij had warme handen voor een oude man, maar hij zat nu eenmaal vol verrassingen.

Amy – zei hij en brak toen af en keek me aan.

Ben je niet boos op me? vroeg ik.

Hoe kan je dat zeggen?

Ik dacht...

Jezus Christus, zei hij, ik zou dolgraag weten wat je echt denkt.

Maar hij vroeg er niet naar. Zijn handen lagen nog rond mijn gezicht en plotseling wist ik dat ik wilde dat ze daar zouden blijven. Als hij ze weghaalde zou de wereld koud worden, gedachten die tijdelijk zinvol leken zouden wegglippen. Ik voelde de vorm van mijn eigen gezicht, de ingewikkelde zwaarte van mijn hoofd. Maar hij liet me los, liet zijn vingers weer op zijn schoot zakken.

Hoe maakte je het hun duidelijk? vroeg hij me met een koele, rustige stem.

Wat?

Dat je het zou doen.

Ik weet het niet, zei ik.

Je moet niet verlegen zijn, zei hij, met zijn ogen op het bloemperk gericht. Je kunt het mij wel vertellen.

Wat vertellen?

Er moet een teken zijn geweest of zo, iets wat je deed...

Misschien – begon ik.

Zijn ogen schoten omhoog naar mijn gezicht.

Misschien – keek ik naar hen.

Keek je naar hen?

Ik schokschouderde. Je weet wel – op een bepaalde manier.

En dan kwamen ze naar je toe?

Ik zag hoe graag hij het wilde weten. Ik aarzelde en beet op mijn lip en deed alsof ik mijn vingers inspecteerde en toen zei ik, nou, niet altijd. Soms. Sommigen waren in het begin verlegen of bang...

Bang?

Ik weet niet, het was waarschijnlijk een hele stap. Misschien was het hun eerste keer.

Hoe wist je dat ze je geen pijn zouden doen?

Dat wist ik niet. Ik bedoel, sommigen hebben dat wel gedaan.

Hij blies wat lucht uit en keek opzij naar de ronde bloemperken die in het midden van het gras waren uitgesneden. Boven ons steeg een vliegtuig op met een zeurend geluid.

Ik trok mijn mouwen op. Het was warm in de tuin. Ik keek naar hem en dacht dat hij tranen in zijn ogen had die hij wegknipperde en toen keek ik nog eens goed en dacht dat het niet zo was en dat ik misschien gewoon had gezien wat ik hoopte te zien.

Jezus, verdomme – zei hij.

Ik legde mijn hand op zijn mouw. Misschien waren het toch tranen.

Ik haat mezelf, Amy, zei hij.

Ik weet het, fluisterde ik – zo stil dat hij me niet hoefde te horen als hij dat niet wilde.

Nee, je weet het niet, zei hij, je hebt er geen idee van. Ik ben niet altijd eerlijk tegen je geweest...

Gary zei – begon ik.

Vergeet Gary, zei hij bitter, ik wil niet weten wat Gary zegt.

Hij keek alsof hij verwachtte dat ik boos zou worden om wat hij over Gary zei, en dat was het moment waarop ik wist dat ik hem zou kussen. Soms is een goeie lange kus net alsof je een hap uit iets neemt: je hebt het hele ding niet nodig – misschien wil je het niet eens – maar je wilt absoluut eens proeven.

Of misschien was het die plek – de blindentuin – met de bomen in blad en de lucht zo roze als suiker en Harris met onverwachte sproeten op zijn neus, en de mannen die vermoedelijk in en uit de toiletten kwamen en het verkeer een voortdurend gedreun in de verte. Hyacinten in nette, heldere cirkels in alle perken. Zwarte aarde, blauwe bloesem, witte hartjes – de meest volmaakte rechtop staande bloem ter wereld: voor mij een aanleiding om op te staan.

En dus ging ik voor hem staan terwijl hij daar op die bank zat in die tuin waar ik zo gemakkelijk afstand had gedaan van zoveel delen van mezelf en pakte ik zijn schouders vast en boog voorover en drukte mijn mond op de zijne. Het was alsof er een kaars werd aangestoken, langzaam, beverig, onwennig eerst, daarna heet en verbazingwekkend toen het begon te werken.

Mijn benen glipten tussen de zijne om dichterbij te komen.

Eerst waren zijn lippen er gewoon, en toen, nadat ik eraan gelikt had, bewogen ze, werden vochtig, kregen vorm en kusten terug. Het was zo gemakkelijk, hem kussen. Het was niet zoals je met seks begint, maar iets dat op zichzelf stond, compleet en af en klaar. Ik genoot van het ruwe patroon van zijn tong, de glazigheid van zijn tanden, de verrassende smaak van zijn speeksel, toen hij er ineens een eind aan maakte, zijn hoofd afwendde.

Je bent echt de dochter van je moeder! Niet soms? Niet soms?

Wat?

Ik keek naar hem. Hij sprak scherp, bijtend, zijn gezicht donker van wat ik voor passie had aangezien.

Ik wil dat gerotzooi niet van jou, zei hij. Wat zou Gary zeggen als hij wist wat je me aanbood?

Ik voelde tranen opkomen, maar hield ze in. Toen ik deze verandering zag, zag hoe hij me haatte, besefte ik dat ik hem ook niet had gewild. Ik had gedaan wat ik dacht dat híj wilde, wat ik dacht dat ik moest doen.

Dat was walgelijk, Amy, zei hij.

Sorry...

Je bent door en door slecht. Gary zou eraan kapotgaan, als ik hem vertel wat je zojuist hebt gedaan.

Vertel het hem dan niet, zei ik, vertel het hem niet.

We hebben Gary net weer opgekrikt, hebben hem weer op het goede spoor gekregen en dan probeert zijn vriendinnetje...

Hou op, zei ik, ik wil weg.

Goed, zei hij. We gaan. En we stonden allebei op en liepen de blindentuin uit. Ik dacht er even aan weg te rennen, maar was bang dat hij meteen naar Gary zou gaan. Dus liepen we dicht bij elkaar als een stel. Er was een briesje opgestoken en de bloesem zweefde rond onze hoofden naar beneden alsof we trouwden.

Megan had zich op een of andere manier in haar staart laten bijten, stom beest. Ze had een hekel aan de scherpe bleekwatergeur van de dierenarts, het gekraste linoleum dat maakte dat ze begon te kruipen en piepen en door haar poten zakte bij het lopen.

Kom op, Megs, zei ik, en ik trok hard aan haar riem, maar ze wilde zich niet verroeren. Dus probeerde ik haar dikke harige kont een zetje te geven maar ze ging zitten en haar achterpoten schoven onder haar uit. Speeksel sliertte uit de hoek van haar bek waar haar lippen gekarteld waren en roze gevlekt. Uiteindelijk moest ik haar in mijn armen pakken, haar vier poten in de lucht als een meubelstuk.

De dierenarts schoor wat opgedroogd bloed en haren weg en toen hield ik haar vast terwijl hij er een desinfecterend middel op smeerde en haar een spuitje met antibiotica gaf. Ze stond te trillen.

Toen het was gebeurd, waste hij zijn handen en gaf me een strip pillen – een kuur van vier dagen – en liet me zien hoe ik ze erin moest krijgen. Ik schreef een cheque uit voor dertig pond. Hij wuifde mijn bankkaart weg – ik ken je wel, zei hij, hou het in de gaten. Kom maar terug als je je ongerust maakt.

Mijn man stond buiten te wachten op een 'verboden te parkeren' plek en Megan vloog hem meteen in zijn armen. Hij lachte en streek haar harige kop glad met zijn twee handen, kuste haar op haar voorhoofd.

Pillen? zei hij.

Dertig pond kost ons die hond van jou.

Ik gaf hem de strip en hij zuchtte maar je kon zien dat hij vond dat ze het waard was. Wat doe je met haar, waar neem je haar mee naartoe? vroeg hij.

Ze is niet gebeten toen ze met mij uit was, zei ik.

Ik weet niet waar je haar mee naartoe neemt, herhaalde hij.

Megan legde haar oren plat en wierp me een vuile blik toe.

O, in jezusnaam, zei ik, waarschijnlijk heeft ze er zelf in gebeten.

Hij moest er niet om lachen. Ik draaide me om en stak mijn tong uit tegen de hond. Ze keek de andere kant op.

De stad verdrinkt in zonlicht, bomen wiegen in het briesje, maar 's avonds op Melly Hill maakt Harris – die de seizoenen of het weer niet schijnt op te merken – nog steeds een vuur aan.

Het is alsof hij het voorval in de blindentuin is vergeten – hij is gewoon vriendelijk als altijd. Sommige dagen bekijkt hij me koeltjes en dan maak ik me zorgen dat hij iets denkt, maar verder is hij warm en hartelijk als anders, en dan voel ik me stom om wat ik hem heb aangedaan, schaam ik me voor mijn hoerige aard, ben ik bang voor Gary en mezelf en wat ik nog zal doen om dat kostbare en verrassende iets wat we hebben te vernielen.

Gary lijkt er niets van te weten, maar ik zie hem naar Harris kijken, en wachten.

Ik ga met Gary naar de supermarkt omdat ze spullen nodig hebben.

Buiten, bij de winkelwagentjes, staan mensen met boodschappentassen in de rij voor een taxi, sigaretten rokend. Ik hou Gary's hand vast. Ik vind het leuk te denken dat we eruitzien als elk ander stel. De supermarkt op Melly Hill is groter dan die waar ik met mijn man naartoe ga – veilig omdat hij ver weg is, aan de andere kant van de stad. Er zijn toiletten en een stomerij en een koffieshop.

Ik ben nog nooit gaan winkelen met Gary. Je zou denken dat hij nog nooit gewinkeld heeft. Hij loopt rond, geeft voortdurend commentaar op de keuze, de vorm, de plaatjes, de beloftes, alsof het allemaal nieuw is voor hem. Hij pakt sinaasappels en wodka en een fles champagne, een venkelknol – en dan lijkt hij vast te zitten.

Wie doet er normaal de boodschappen bij jullie thuis? vraag ik.

Raad eens, zegt hij.

Hoe oud ben je, Gary?

Hij grinnikt, trekt bankbiljetten tevoorschijn alsof het buitenlandse zijn of speelgoed, geeft er eentje te veel aan de caissière.

Op een dag stopte zijn auto er gewoon mee en hij liet hem achter op een parkeerplaats. Vanaf dat moment gingen we overal te voet naartoe. Ik kreeg een steek en moest gaan zitten op een bank bij de brug waar duiven uit een gescheurde zak van Quavers aan het pikken waren. Hij legde zijn arm om me heen en zei dat wandelen goed voor het hart was.

Ik zei hem dat neuken ook goed voor het hart was. Hij zei dat ik heel verstandig was en dat hij me daarom zo graag mocht.

Mijn man wist nog steeds van niets. Of misschien wel, want op een dag kwam hij van de wc na een lange zit-met-krant en sloeg me in mijn gezicht.

Ik vloog achterover, raakte de ladenkast in mijn val, zwiepte er een paar handdoeken af en een halfvol blikje cola dat het tapijt onderspetterde met bruine druppels. Ik voelde zweet onder mijn armen prikken en ik wachtte terwijl hij naar beneden ging naar de keuken. Ik volgde en trok een stoel bij en ging zitten. Ik probeerde niet te beven want daardoor begonnen mijn tanden stompzinnig te klapperen. Ik klemde mijn kaken op elkaar en herkende de zure smaak van een lege maag. Het was weekend en de radio dreunde maar door over liefde. Ik boog voorover en zette hem uit. Wat heeft dat te betekenen? vroeg ik.

Hij lachte alleen maar – hard, niet zijn normale lach.

De telefoon ging, maar het antwoordapparaat stond aan. Ik wilde opstaan. Laat liggen, bitste hij.

We luisterden toen zijn stem te horen was, heel losjes en vriendelijk, die de beller verzocht een boodschap achter te laten. Het was iemand van het verpleegtehuis van zijn moeder. Bel ons, zeiden ze, het is dringend. Biep.

Je kunt maar beter bellen, zei ik, maar hij bleef maar zitten staren. Omdat ik met hem te doen had, gaf ik hem de telefoon aan, maar die bleef daar gewoon liggen, naast de witte homp vlees van zijn kwade handen.

Je kijkt naar foto's van je dierbaren of overledenen en je zoekt naar aanwijzingen, of je wilt of niet. Op alle foto's is mijn schoonmoeder een frisse maar onrustige jonge vrouw met hoopvolle, ronde wangen en heldere ogen.

Ze lacht – hoe kon ze lachen met alles wat er in het verschiet lag, die ziekte in haar kop en die erwten die onder haar rolstoel rollen? Je kijkt naar haar geruite katoenen blouse, haar lakschoenen, haar handtas, en je begrijpt het niet. Je denkt dat het een ander mens moet zijn geweest die 's morgens is opgestaan en alles heeft aangetrokken, met knoopjes en bandjes in de weer is geweest, de handtas heeft dichtgeklikt, terwijl een gistend zonlicht haar plannen voor de dag bescheen.

Mijn man zegt dat hij wist dat ze niet lang meer te leven had, maar de dood van je moeder komt toch altijd als een schok.

Nadat Harris me dat kleine fotootje van mijn moeder gegeven had, zocht ik steeds weer naar aanwijzingen over haar leven en haar verdrinking, maar ik vond nooit wat. Geen teken dat ze me zou verlaten – die glinsterende oceaan zou in wandelen zonder achterom te kijken.

Ik keek en keek, in de hoop er een beetje waarheid uit te kunnen peuren, maar ik zag alleen maar haar volmaakt ontspannen gezicht en het lange, steil vallende blonde haar.

Ik keek naar Gary en zag dat hij uit het raam zat te kijken en dat de tranen over zijn gezicht stroomden.

Ik draaide me naar Harris. Wat is er aan de hand? vroeg ik, waarom huilt hij?

Ik voelde me ruw en dat beviel me wel. Ik was het spuugzat om sympathie voor mensen te voelen.

Hij huilt om jou, zei Harris. Hij is van streek omdat je man zo tekeer is gegaan tegen je. Hij wil niet dat je geslagen wordt.

Ik keek naar de dikke man en ik wist niet of ik liefde voelde of dat het me ergerde dat hij geen moeite deed om de tranen van zijn gezicht te vegen. Ze zouden er weldra afrollen en langs zijn oorlelletjes en nek op zijn hemd belanden. Ik had nog nooit een man zien huilen, hoewel ik wist dat het voorkwam. Ik vroeg me af waarom ik mezelf er niet toe kon brengen iets aardigs te zeggen.

Jullie moeten geen meelij met me hebben, zei ik tegen hen beiden, mijn schoonmoeder is net overleden en hij is momenteel een beetje van streek. Hij heeft me nog nooit geslagen en ik verwacht niet dat hij het nog eens zal doen. En misschien heeft hij wel gelijk. Misschien ben ik de laatste tijd wel te veel uit huis geweest...

Dat geloof je zelf niet, onderbrak Gary zijn eigen huilen snel.

Jullie weten niet wat ik geloof, zei ik tegen hen. Jullie denken dat je me goed kent, maar dat is niet waar. Ik heb jullie pas een paar maanden geleden ontmoet. We kennen elkaar nauwelijks.

Ik denk dat ik dat zei – het is in elk geval wat ik wilde zeggen.

Harris glimlachte en Gary – nou, ik had geen zin om te kijken wat hij deed.

In plaats daarvan ging ik naar hun kale jongensachtige keuken en zette water op. Overal lagen vuile dingen, zure melk, voedsel puilde uit pakjes, stof en dode insecten in de vensterbank.

De zon scheen heet, maakte vlekken in het dwarrelende en sprankelende stof. Ik lachte in mezelf alsof het belachelijk weer was, maar ik lachte eigenlijk niet om het weer en het was eigenlijk ook geen lachen.

En dan op een dag loop ik Mara tegen het lijf, aan de rand van het winkelcentrum voor de Abbey, waar een groep zwarten zang- en dansnummers brengt uit *Salad Days*.

Ze draagt een paar oude boodschappentassen en ze heeft een zonnebril op, het heldere ochtendlicht toont haar slechte huid en de rimpeltjes van het zo vaak gedaan te hebben voor geld. Ze zit al jaren in het leven en dat is te zien aan een zekere ruwheid, een trieste zwaarlijvigheid, het kan haar allemaal niet meer schelen hoe haar lijf in haar kleren hangt.

Ik verwacht dat ze boos op me is omdat ik niet meer kom, maar ze zegt gewoon hallo en dat ze zich heeft afgevraagd hoe het met me ging.

Ik zeg dat het me spijt dat ik niets van me heb laten horen en dan begin ik uit te leggen over de dood van mijn schoonmoeder en zo, maar ze luistert niet echt.

Weet je dat er een inval is geweest? zegt ze. Een of andere gluiperd heeft het huis in de gaten gehouden, wist precies hoe of wat...

Ik hoef niet te doen alsof – ik ben echt geschrokken. Bij Mara ging alles zo discreet. Maar ze zegt dat ik me geen zorgen moet maken, zet haar boodschappentas neer en diept er een kaart uit op – lichtroze met een adres erop gedrukt.

Mijn nieuwe adres, wacht maar tot je dat gezien hebt. Ik heb er bidets in laten zetten en kabeltelevisie, gouden kranen, perzikkleurige en bruine handdoeken – alles. Het is chic en de klanten zijn er dol op. Je zou eens langs moeten komen, Amy – wanneer je maar wilt, voor jou nog steeds tien pond per beurt.

Ik kijk naar de kaart en stop hem in mijn zak. Bedankt, zeg ik, bijna treurig, maar ik heb momenteel een vriendje.

Ze lacht, een beetje van haar stuk. En hoe zit het met de echtgenoot?

Die heb ik ook nog.

Dan doe je het al op twee plaatsen voor niks...

Ik weet het, zeg ik, ik weet het.

Ik zeg dat ik erover zal nadenken. Ze kust me en ik ruik ui en Vapona. Als ze wegloopt, fonkelen haar dikke gouden ringen in de zon.

Harris ging de deur uit en Gary en ik deelden een handvol zoute pinda's en kropen toen op de doorgezakte oude sofa en het eindigde met mijn broek naar beneden en een woeste neukpartij. Ik wilde dat Megan niet zo demonstratief zou zitten wachten op de geluiden die het einde verrieden, om dan steels en niezend aan te komen lopen en felicitaties te slaan met haar staart. Het leek vies met een hond erbij.

Ksst! zei ik, ga weg! Stoute hond.

Ach, zei Gary, en keek of er nog chips over waren, arme hond.

Verschrikkelijke hond. Ik neem haar voortaan niet meer mee, zei ik, ik heb er genoeg van.

Wat zal je man ervan denken?

Het kan me geen reet schelen wat hij denkt.

Je gaat toch van hem weg, zei Gary ernstig, terwijl hij het witte staartje van zijn penis in zijn broek stopte.

Maar het klonk alsof het iets was wat we tegen iemand gezegd hadden om ervanaf te zijn – en nu zaten we ermee.

Op een avond nam hij mijn beide handen in zijn grote handen en zei, hoor eens Amy, ik zou dit niet moeten zeggen: ik heb geprobeerd het je te vertellen, maar ik denk niet dat het echt doorgedrongen is.

Wat niet?

Harris – hij is een leugenaar. Geloof niets van wat hij je vertelt.

Alsjeblieft Amy, ik vraag je om niets te geloven van wat hij je over mij vertelt.

Hij heeft me al een tijdje niets verteld, zei ik.

Goed. Vertrouw hem dan niet – als hij je vraagt om dingen te doen.

Wat voor dingen? zei ik. Ik begrijp het niet.

Je kunt het niet begrijpen – dat heeft geen zin – het is niet iets waar ik nu op kan ingaan. Het heeft hier niets mee te maken – ik weet wat je moet denken – maar, alsjeblieft Amy, je moet het weten. Hij is niet wat je denkt dat hij is.

Ik lachte. Het leek wel zo'n film. Wat bedoel je, niet wat ik denk? Wat denk ik dan dat hij is?

Je mag hem graag, je geeft om hem, dat weet ik...

Ik zei niets, omdat Gary gelijk had, ik gaf om Harris.

Ik heb het je verteld. Hij is een fantast. Hij heeft ons voor de lol samengebracht en nu denk ik dat hij ons weer uit elkaar wil halen. Hij speelt een spelletje. Hij vertelde me bijvoorbeeld dat hij je gekust heeft...

Ik keek hem aan, plotseling bang. Gary stak zijn hand uit, sloot zijn vingers om mijn pols. Rustig maar, ik ken hem. Ik weet waartoe hij in staat is. Ik vond alleen dat je het moest weten. Pas maar op, oké?

O, zei ik, en trok mijn hand uit de zijne, o god, ik weet niet wat ik moet denken.

Het is oké, Amy, zei hij.

Waarom ga je niet gewoon weg? vroeg ik, want het leek zo'n onzin, al die geheimzinnigheid en Gary die daar maar bleef hangen als een groot kind.

Uit dit huis? Hij trok een gezicht alsof hij daar nog nooit aan gedacht had.

Natuurlijk, knikte ik, weg uit dit huis. Mensen doen dat elke dag.

Gary zuchtte. Dat is niet zo eenvoudig.

Waar ben je bang voor? Wat voor macht heeft hij over je?

Gary aarzelde. Steeds minder, zei hij. Steeds minder en hoe meer hij dat in de gaten krijgt, hoe meer hij...

Wat? Hoe meer hij wat?

Gevaarlijk wordt. In zekere zin.

Ik begrijp het niet, zei ik. Wat kan er dan gebeuren? Wie kan hij iets doen?

Gary zweeg. Hij nam mijn gezicht tussen zijn handen en kuste het. Verlaat je man, zei hij.

Wat? En bij jou en Harris intrekken?

Nee, zei hij, en kuste me weer. Alleen bij mij. Ik zal weggaan bij Harris – je hebt gelijk, ik moet het doen.

Hij dacht er even over na en voegde er toen aan toe, ik had dit allemaal nooit verwacht, weet je.

Maar Harris en Gary waren onafscheidelijk. Soms negeerden ze me, verdiept in een of ander privé-grapje, een plannetje, feiten die hun aandacht volledig opeisten. Soms wist ik niet wat ik voor hen betekende, waar ik erin paste.

Op een dag hoorde ik Harris op zachte toon tegen Gary zeggen, ze gaat niet meer naar de blindentuin.

Wat zeg je? zei ik, en hij keek naar me.

Ik zei dat je niet meer naar de blindentuin gaat. Dat is toch zo? Je bent ermee gestopt. Nu zijn wij je avontuurtje.

Kop dicht, Harris, zei Gary, alsof dit iets was waar ze al over gesproken hadden. Laat haar met rust.

Ze heeft nu genoeg aan ons, zei Harris weer, glimlachend. En ik heb een avontuurtje in petto.

Wat bedoel je? vroeg ik.

Kijk haar nou, zei Harris tegen Gary. Precies haar moeder. Nergens bang voor. En zo mooi. Wat heb ik je gezegd?

Gary stond op en er verscheen zweet op zijn bovenlip. Ja, wat heb je me gezegd? zei hij. Vooruit, vertel Amy maar precies wat je me verteld hebt.

Harris bleef gewoon zitten glimlachen – naar hem, niet naar mij.

Wat dan? zei ik.

Niets, zei hij.

Amy – begon Gary, maar ik liep de kamer al uit, ik was bang en ik was het kotsbeu, die vage slimme spelletjes van hen en die onvolgbare logica en onzichtbare regels. Megan sprong op en volgde me.

Ik bleef doorlopen, de hal door en de voordeur uit en stopte pas toen we terug in de flat waren.

Leuk gewandeld? vroeg mijn man en bij het zien van zijn vervelende, beschuldigende gezicht maakte ik rechtsomkeer en vertrok weer.

Zoals gewoonlijk had ik honger en voelde me misselijk en had ik een tinsmaak in mijn mond. Hij riep me na maar ik negeerde hem en liep de trap af en weer naar buiten de straat op en het levendige middaggekwetter in. Megan, dat stomme dier, probeerde te volgen, maar deze keer had ik de voldoening de voordeur voor haar kop dicht te doen.

Het was een uur of acht en nog licht en warm toen ik weer terugkwam op Melly Hill – het geluid van zwartharige mannen die hun kofferbak sloten, vrouwen die iets riepen in zomerse tuinen, deuren die werden dichtgegooid, etensgeuren. Een ijscowagen stond aan het einde van de straat en had de motor afgezet, maar niemand leek haast te hebben om een ijsje te gaan kopen.

Het huis zag er slaperig uit, geniepig en zelfingenomen. Ik drukte op de bel en hoorde hem ergens binnen overgaan. Volgde Gary's zware stap bij de deur.

Amy, zei hij, en ik sprong in zijn armen, gek van opluchting. Misschien wilde ik hem wel in mijn lege, misselijke maag stoppen – zijn grootheid, zijn zachtheid.

Amy, zei hij nog eens. Ik zei niets. De held en heldin op de drempel.

Blijf hier vannacht – hij kuste als waanzinnig mijn gezicht en polsen.

Gary, dat kan natuurlijk niet.

Doe niet zo dom. Dat kan je wel, dat zou je moeten.

Ik had niet moeten terugkomen, zei ik, ineens moe. Ik heb er genoeg van, als je het wilt weten.

Blijf vannacht, zei hij.

Ik rook zijn goedheid – o, zoveel goedheid – en zijn donkere, massieve warmte maakte me gek. Ik kan het niet, zei ik.

We zaten weer allemaal in de woonkamer – een krankzinnige, dwaze herhaling van het vorige uur – en er waren tranen op mijn gezicht om geen speciale reden, behalve dat het punt waarop ik in mijn leven was beland me verbijsterde. Harris zei dat hij spijt had van wat hij had gezegd.

Hij meent het, zei Gary.

Ik ben jullie bezit niet, zei ik tegen hen, van geen van jullie beiden.

Het was even stil terwijl we dit allemaal lieten inwerken. Toen zei Harris, ik heb een verrassing voor je, Amy...

Ik keek op en ving Gary's blik op maar hij keek snel weg. Ik hou niet van verrassingen, zei ik.

Maar van deze wel, zei Harris, en hij wierp een pakje naar me toe. Het viel op de tafel naast mijn lege wijnglas.

Wat is dat?

Kijk maar.

Ik keek. Tickets? zei ik.

Harris sloeg zijn armen over elkaar, boog zich naar me over. Een cadeautje. We gaan naar Eknos – jij en ik.

Ik zweeg, keek naar zijn krankzinnige autoritaire gezicht. Ik was nog nooit ergens naartoe geweest. Het buitenland was net als de maan voor me, mijn geboorteplaats een andere wereld, een tijd uit een boek, niet te geloven.

Hoe dan? vroeg ik verbaasd, hoe kunnen we daar nou naartoe?

Het is al gebeurd, zei hij, ik heb geboekt. We vliegen er vrijdag naartoe. Maak je geen zorgen, het is alleen maar voor het weekend. Ik neem aan dat je wel een paar dagen vrij kunt nemen van je werk?

Je neemt aan, zei ik, terwijl de paniek in me groeide. Je hebt me nooit iets gevraagd...

Ik wilde je verrassen.

Ik keek naar Gary. En hij? zei ik. Komt hij ook mee?

Harris zei, Gary moet voor de winkel zorgen.

Ik wil niet gaan zonder Gary...

Gary wil niet mee, hè Gary?

Ik keek naar Gary die geen antwoord wilde geven, niet naar me wilde kijken. Er leek een zekere verstandhouding tussen hen te bestaan, een zekere macht, datgene waar Gary niet over wilde praten.

Nou, Gary is gewoon niet uitgenodigd. Drie dagen, zei Harris, wat stelt dat nou voor? Gewoon een reisje...

Ik dacht erover na. Zelfs alleen met Harris was het verleidelijk. Toen schoot me iets te binnen.

Ik heb niet eens een paspoort, zei ik, en mikte de tickets weer terug over tafel.

Dat heb je wel – hij haalde een rood paspoort uit zijn zak en gaf het me.

Gary nam het me uit mijn handen, verbaasd. Dat is niet legaal, zei hij tegen Harris...

Hou je erbuiten, zei Harris zonder naar hem te kijken.

Ik sloeg het paspoort open. Ik zat erin – een donker kiekje waarvan ik me niet eens herinnerde dat het genomen was. Ik vroeg me af waar hij dat vandaan had.

Bedankt, zei ik, en probeerde het terug te geven aan Harris die het niet wilde aannemen, maar ik ga niet.

Hij stond op, stijf en boos, opgewonden. Wil je niet gaan kijken waar je geboren bent?

Jawel, zei ik, maar niet nu en niet zonder Gary.

Bang? vroeg hij me, en zijn gezicht stond als toen ik hem gekust had – vol boosheid en walging.

Waar zou ik bang voor zijn?

Ze zeiden alletwee niets.

Harris zei nog eens, het was een verrassing. Ik wilde je verrassen...

Je doet niet anders, zei ik.

Ze houdt niet van verrassingen, fluisterde Gary, terwijl hij mijn vingers gladstreek, één voor één, alsof het zijn geheime privé-opdracht was om ze goed te leggen.

En hoe moet dat trouwens met mijn man? zei ik, omdat ik er ineens aan dacht. Ik kan er toch niet zomaar vandoor gaan zonder hem?

Harris lachte alsof dat een geweldige mop was en dat was misschien wel zo. Daar gaat het niet om, zei hij.

Oké, zei ik, daar gaat het niet om. Het gaat hierom. Ik heb er geen zin in. Gary en ik krijgen een baby en ik wil bij hem blijven. Ik ben in verwachting, begrijp je.

Het moment is goed, maar lang niet zo goed als ik het me had voorgesteld. Elk geluid is weggezogen uit de kamer en al wat overblijft is het zachte, rode knappende vuur. Mijn wangen en dijen zijn heet van de schok dat ik het verteld heb.

Gary laat mijn hand vallen. Wat?

Je hebt me wel gehoord.

Je bent in verwachting?

Inderdaad.

Harris houdt ook niet van verrassingen. Dat zie ik aan de manier waarop hij zit te glimlachen – op een kalme, strakke, moeilijke manier. Richting vloer, richting lucht, vonken schietend, moeilijk te bepalen wat er gaat komen.

Kijk eens aan, zegt hij. Kijk eens aan.

Misschien kunnen we volgende zomer naar Eknos gaan, zeg ik, met de baby.

Harris loopt naar Gary. Gefeliciteerd, zegt hij. Je wordt vader. Ik durf te wedden dat dat een beetje een schok is, hè? Ik durf te wedden dat dit wel het laatste is wat je had verwacht?

Gary kijkt naar me en zegt niets. Ik ken hem. Hij kan niet liegen. Hij kijkt zo ontdaan. Hij komt naar me toe en stopt dan. Harris glimlacht, staat op, verlaat de kamer. De deur slaat dicht.

Gary ging zitten met zijn hoofd in zijn handen.

Waarom heb je het mij niet eerst verteld?

Het spijt me. Dat was ik wel van plan. Het spijt me.

Hij heeft ons niet in zijn bezit.

O nee?

Gary negeerde me, raakte een vingertopje aan. Het is goed, zei hij, alleen – nou – ongelooflijk fantastisch.

Dat hoef je niet te zeggen.

Ik weet dat ik dat niet hoef. Maar ik vind het fantastisch.

We hebben nooit gezegd dat we van elkaar hielden.

Jawel, zei hij – vergetend dat ik dat nooit had gedaan.

Misschien moet ik een abortus laten doen?

Jezus, hij keek me aan. Heb je daaraan gedacht?

Ik schokschouderde. Natuurlijk heb ik dat.

Maar?

Ik heb erover gedacht, oké?

Jezus, zei hij weer.

Hij legde zijn hoofd in zijn handen. Gedurende lange, lange tijd zeiden we geen van beiden iets en ik hoorde het speeksel in zijn mond.

Hij zuchtte weer. Hij stond op, zuchtend als een oude man, zag dat het vuur uitdoofde en begon in de sintels te poken met een stok. Kleine stukjes wit dreven omhoog de lucht in, losten elkaar op. Er klonk het harde geknetter van hout dat vlam vatte. Rook. Ik keek naar hem. Zijn broek glom waar zijn omvang de stof had doen verslijten.

Het is zomer, merkte ik beleefd op, we hebben dat vuur eigenlijk niet meer nodig. Waarom laat Harris ons zoveel rare dingen doen?

Hij legde de stok neer, kwam naar me toe en sloeg zijn armen stevig om me heen. Ik rook zijn zweet.

Harris heeft het altijd koud, zei hij. Kom hier.

Ik ben hier.

Zijn lippen waren op mijn oor en ik voelde al mijn haartjes overeind komen bij zijn aanraking. Ik kan het niet geloven, zei hij. Hoe lang weet je het al?

Niet lang. Een paar weken.

Een paar weken. Jezus, is alles goed met je?

Het gaat prima. Ik ben er al aan gewend, zei ik.

Ben je misselijk geweest?

Een beetje. Het gaat al over.

Wanneer...?

November, zei ik.

Hij bewoog zijn handen heen en weer over mijn rug. Ik ben blij, zei hij, begrijp me goed – maar ik ben gewoon verbluft.

Hij brak plotseling af. Zie je wel? zei hij, Harris probeerde je af te pakken. Nu zal hij wel kwaad zijn.

Wat doet dat ertoe? zei ik ongeduldig. Zet Harris nu eens even

123

uit je hoofd. Wat heeft hij ermee te maken?

Maar Gary fronste zijn wenkbrauwen, tegendraads als een kind.

Ik begrijp je niet, zei ik, en ging zitten.

Hij zeeg naast me neer en de sofa zakte door op de plaats van zijn grote lijf.

Het is heel moeilijk, zei hij, ik wil eerlijk tegen je zijn...

Doe het dan – wees eerlijk tegen me.

Ik ben bang dat je me zult haten. Ik ben een slecht mens, Amy. Je wilt geen slecht mens als de vader van je kind...

Ik voelde tranen in mijn ogen komen. We zijn allemaal slechte mensen, zei ik, we hebben allemaal wel iets gedaan. Maar ik ben aan het veranderen. Ik kom er nu overheen, en ik vertrouwde je...

O god, zei Gary, niet huilen, Amy. Dan moet ik ook huilen. Ik hou van je...

De deur ging open en Harris kwam weer binnen met een fles en een paar glazen.

Het zou eigenlijk champagne moeten zijn, zei hij.

Gary zei, dat halen we morgen wel. Om het echt te vieren. Oké? vroeg hij aan mij. Ik bedoel, mag je drinken?

Ik gaf geen antwoord, keek niet naar hem. Ik nam het glas uit Harris' hand.

Zo ken ik je weer, zei hij, en hij gaf me een droge kus op mijn wang.

We stonden daar alledrie terwijl de vogels op het gazon kwetterden en het vuur knetterde en uitging. We bekeken elkaar en ik weet niet wat we zagen. Toen dronken we op het boonvormige leventje in me.

En daarna leek het niet zoveel zin te hebben om naar mijn man terug te gaan en zijn afkeurende hond, en dus, voor de allereerste keer, bracht ik alle uren van de nacht door in Gary's grote houten bed, in een kamer waar de muren en de kleerkast groot en duidelijk uit het halfhartige zomerduister opdoemden.

Ik geef het toe, ik heb dingen voor je moeten verzwijgen, zei Gary toen hij glad en naakt voor me stond. Dat gaat allemaal veranderen, dat beloof ik. We moeten eerst weg van Harris.

Hoe? vroeg ik, en geloofde niet dat dit mogelijk was. Wanneer?
Binnenkort.
Wanneer is binnenkort?
Zodra ik met hem gesproken heb.
Jezus! begon ik weer, maar hij sloot mijn mond met een kus en ik voelde zijn ballen over mijn dij strijken.
Ik hou van je, zei ik, en ik hoorde de woorden vreemd zoemen van waar ze in mijn hart opgeslagen hadden gelegen.
Dat kan niet, zei Gary, ik ben niet om van te houden.
Toch is het zo...
Dat kan niet.
Maar een paar minuten later zei hij, ik heb je de hele nacht – hij kuste me langzaam tussen elk woord in – de hele nacht, voor mij alleen.
Gary had een vreemde smaak – de ongebonden smaak van goed opgeleide mensen die een kick krijgen van smoezelige afdankertjes. Zelf zou ik nooit een vies en gebruikt uitziend ding willen hebben als het aan mij lag, maar Gary verzamelde van die spullen die je in van die kringloopwinkeltjes ziet – oude gedeukte koffers en stoffige platenspelers en tennisrackets met gebroken snaren. De kamer was oud en somber, kon een goede lik verf gebruiken, en het stof leek het er naar zijn zin te hebben.
Naast zijn bed stond een laag ladenkastje in lichtblauwe hoogglanslak geschilderd – ik nam aan door hemzelf – en erop lag een stapeltje boeken, een pakje tandenstokers, wat chocoladekoekjes, een ansicht met koffievlekken van Groucho Marx en een klein gouden schilderijtje van de Maagd Maria op hout geschilderd.
Wat is dit? vroeg ik toen ik het pakte.
Dat? zei hij. O, dat is niets. Een ikoontje.
Ik keek ernaar. Het gezicht van de Maagd was donker en mild en breed als het gezicht van een man. Het deed me aan iets denken, maar ik kon niet bedenken wat.
Ik wist niet dat je gelovig was, zei ik.
Och, zei hij.
Ben je gelovig?
Nee. Niet echt.
Waar komt het vandaan?

Van ergens, ik weet het niet meer. Ik denk dat ik het uit het buitenland heb meegenomen.

Denk je dat alleen maar? Weet je het niet?

Hij zei niets, raakte mijn wang aan met warme vingers.

Het ziet er Grieks uit, zei ik, hoewel ik niet wist waarom ik dat zei, met mijn geringe kennis.

Misschien, zei hij, ja, misschien is het Grieks.

Hij liep naar de badkamer.

Waarom woon je hier met hem? vraag ik als ik mijn kleren uittrek. Dat heb je me eigenlijk nooit verteld.

Zijn kamer ligt naast de boiler of buizen of zoiets – geluiden alsof we onder water zitten, gebubbel tegen de dunne muren.

Hij heeft me geholpen – dat weet je.

Je klinkt als een kind, zeg ik, als je dat zegt.

Hij glimlacht. Ik krijg een kind.

We zullen wel zien, zeg ik, als tegen een kind.

Je borsten zijn gegroeid, zegt hij.

O, nou – ik kijk even, weeg hun hitte in mijn hete handen – misschien wel.

Er ligt een stapel dekens op zijn bed – de zachte, donzige dekens en katoenen lakens van het bed van een dikkerd. Ik lig ze weg te trappen terwijl hij zijn tanden poetst en spuugt en de wc doortrekt. Als hij in bed stapt, zucht en kreunt alles onder hem en ik rol de heuvel af en hij laat zijn handen langzaam over mijn lijf glijden alsof hij alle onderdelen controleert.

Niet stoppen, fluister ik als zijn hoofd naar beneden gaat en dan, voor ik zelf wist dat ik het ging vragen, hoor ik mezelf vragen, wie ben je, Gary?

Hij geeft geen antwoord. Ik weet dat hij geen antwoord zal geven.

Langzaamaan, zegt hij en drukt me plat tegen het bed. Doe je benen wijd, zegt hij zacht en als ik het doe sist mijn adem van hoop en verlangen.

Eerst gebeurt er niets, dan vat mijn lijf vlam en schiet vonken seks in het rond. Ik probeer mijn ogen open te houden omdat kijken naar wat hij doet me helpt – maar uiteindelijk geef ik me over aan het genot en laat me achterover zakken.

Als ik mijn knieën naar elkaar toe doe verhoogt dat de sensatie – dat soort trucjes ontdek je. Hij leunt voorover over het bed, brengt zijn mond naar mijn oor, kust mijn wang, voorhoofd, oorlelletje.

Ik zal eens een paar vingers in je steken, zegt hij.

Nee, zeg ik, klem mijn benen stijf tegen elkaar, verlang ernaar.

Hij wrikt ze open en hij steekt een paar vingers in me, een hardheid die op en neer schiet, me wijder maakt, stijf.

Hij ademt zwaarder. Dat vind je lekker, hè? zegt hij, ik zal het nog eens doen.

Ik kan niet spreken, ik schud mijn hoofd.

Oké? zegt hij.

Oké, fluister ik.

Ben je opgewonden?

Mmmm, zeg ik.

Zeg het dan. Zeg dat het je opwindt.

Het windt me op.

Dan klimt hij op me en komt in me en ik voel dat hij alles gedaan heeft zoals hij het graag wil, zoals ik het ook graag wil. Ruw, rood genot.

We komen precies tegelijk klaar, zoals ze dat in boeken doen.

Op mijn werk vertel ik het ze uiteindelijk – ik moet wel, anders zien ze het binnen niet al te lange tijd.

Dus nu heeft zich zo'n draad van interesse ontrold in de keuken, en komen ze allemaal om me heen staan en zijn hun gulzige ogen allemaal op mijn buik gericht – mijn buik die nog steeds in mijn spijkerbroek past ook al gaat de rits wat moeilijker dicht – en allemaal proberen ze iets te zien. En ze zeggen dat ze het wel dachten – ze wisten het al voor ik het wist. En ze zeggen: hoe voel je je? En weet je al of het een jongen of een meisje is? En heb je al een naam uitgekozen? En ik zeg, nee, dat heb ik nog niet, want ik ben bijgelovig wat dat betreft.

Gelijk heb je, zeggen ze, knikkend.

Het kind van mijn man, denken ze allemaal en natuurlijk laat ik ze in die waan.

En, is hij blij? vraagt Paula me later, als ze me aanschiet bij de ijsmachine, en ze windt een theedoek om haar gekloofde, vlekkerige vingers, windt hem er weer af.

Nogal, zeg ik, en rol met mijn ogen om aan te geven dat er wel meer bij komt kijken en ze lacht omdat die kleine onzekerheid was wat ze hoopte te horen.

Het was heet en mijn man was weg naar een congres. Ik moest naar huis tussen twee shifts in om Megan te eten te geven en haar uit te laten.

Gary kwam met me mee – zijn grote lijf raar en verlegen, bewoog zich steels door onze lege, vertrouwde kamers. Hier woont Amy, zei hij hardop tegen zichzelf.

Ga zitten, zei ik en ik trok een stoel voor hem bij en schepte hondenvoer in een kom, een handvol brokken, vers water voor Megan. Hij zei dat hij liever bleef staan.

Kom, zei ik, toen ik klaar was en mijn handen had afgeveegd, ik zal je een rondleiding geven – en ik liet hem de plattegrond zien van mijn getrouwde leven – de kleine, bekrompen kamers met hun beige kamerbreed tapijt en de muurdecoraties en de haken met onze jassen eraan, die van mijn man en van mij – en dan door de ruime hal naar onze slaapkamer.

Onze slaapkamer, zei ik.

Het is allemaal – erg...

Ik wachtte tot hij zou zeggen wat het was. Erg wat?

Erg remmend.

O ja? Waarom?

Je weet wel waarom, zei hij.

Ik had nog bijna een uur voordat ik weer in de stad moest zijn om onder de tafels te stofzuigen en erwtjes te doppen – en Megan moest nog worden uitgelaten. Snel duwde ik Gary op het bed – mijn gladde huwelijksbed – en ritste zijn gulp open.

Hij vroeg me wanneer ik mijn man ging verlaten en ik zei dat ik niet weg kon zolang hij er niet was want wie zou dan de hond te eten geven?

Die hond is al voor van alles een excuus geweest, zei hij. Je zou niet zonder die stomme hond kunnen.

Ik stopte met het graaien naar zijn gulp en keek de hal in waar

128

Megan voor de keukendeur piepte en snuffelde. Ik vroeg me af of het waar was, dat ze een excuus was.

En Harris is jouw excuus, zei ik. Misschien worden we alletwee anders als we een kind hebben...

Hij kreunde toen ik zijn penis eruit haalde en de zachte maar langzaam hard wordende eikel ontblootte. En ik liet mijn tong rond de rand glijden, greep hem stevig vast en kuste teder het spleetje op het uiteinde, waar al een klein druppeltje vocht uit opwelde.

Later gingen we samen op een plakkerig bankje zitten voor The Star op Alcot Street en ik nipte aan een biertje met limoen, en hij had een Grolsch en een zak scampi-chips.

Ik ga het hem vertellen, zei ik. Ik zag in dat het niet anders kon.

Ik wil erbij zijn, zei hij snel.

Nee, zei ik. Dat zou een slechte zet zijn, denk ik.

O, nou dan niet, hij zuchtte en pakte opgelucht mijn hand.

We wandelden naar huis door de stille oude straten, voorbij het Crescent naar de donkere, weelderige helling van Melly Hill. Hij trok me een verlaten oprit op en liet zijn handen onder mijn T-shirt glijden. Ik kreeg kippenvel op mijn rug – niet omdat zijn vingers koud waren, maar omdat het zíjn vingers waren.

Hij maakte mijn bh los en duwde zijn duimen onder mijn oksels waar stoppeltjes zaten met Arrid Extra Dry dat iets wits op zijn duimen zou achterlaten.

Zo, zei hij.

Zo, zei ik.

En hij kuste mijn lippen en ik sloeg mijn armen om zijn nek en kuste hem terug. Nadat hij mijn borsten nog een beetje had betast liet ik hem mijn bh weer vastmaken. Hij deed er te lang over en toen had hij het nog verkeerd gedaan ook en zat hij te los. Ik zei het en hij deed het over.

Waar denk je nu aan? vroeg hij en ik bekende dat ik me afvroeg of mijn tepels donker zouden worden en overeind zouden gaan staan zoals op de foto in het tijdschrift *Mother* en hij lachte.

Hij kuste mijn mond tot die vervloeide in de rest van mijn lijf.

Hij likte me, raakte het huiverige metaal aan van mijn vullingen met het harde puntje van zijn tong. Hij pakte mijn oorlelletjes beet en kuste mijn mond en ik liet hem begaan tot mijn lippen murw waren van genot.

Nog één keer een snelle ruk, voor zakgeld.

Mara's nieuwe kamers zijn mooi. Overal dik tapijt en heet als een sauna, met grote planten, spiegels, louvredeuren – alles. Ik bewonder het hardop.

Ik heb mijn rekening al in geen tijden bijgevuld en nu en dan breng ik mezelf in herinnering dat ik ermee gestopt ben. Maar Steve is geen onbekende klant of iemand die ik toevallig heb opgepikt. Hij is een oude klant van Mara, een oude bekende.

Hij wil niet eens oraal, zegt Mara, gewoon een beetje masseren en aftrekken. Hij komt snel klaar. Tachtig pond, gemakkelijk verdiend.

Het is wel verleidelijk, zeg ik.

Wie komt het te weten? zegt ze. Hij is een dokter – aardige vent.

Een dokter?

Nee, nee, zegt ze snel, niet zo'n type.

Want iedereen weet dat dokters het ergst zijn met wat ze je willen aandoen. Pijn doen. Misschien weten ze te veel over de werking van een vrouwenlichaam en vinden ze een gewone wip of pijpbeurt te tam. Misschien komt het door al dat zorgen en genezen – worden ze wild wanneer ze het doen met een meisje.

Ik ga niet uit de kleren, zeg ik.

Nee, nee, zegt ze weer, dat hoeft niet. Dat beloof ik. Gewoon aftrekken en hij wil het alleen maar op de veilige manier. Als je geluk hebt, wordt hij nog opgepiept ook voor je klaar bent.

Steve is een gespannen man met een smal gezicht met grijzend haar dat uitstaat boven zijn oren, en met de glanzende ogen van een gestraft kind.

Hij maakt een grapje als ik hem uitkleed, als ik erop sta die kluit grijzend vlees en haar te wassen met de handdouche. Ik leid hem naar de wastafel en wrijf eens flink over zijn saaie witte rug en slappe achterste.

Ik merk aan zijn bewegingen dat hij wil dat ik mijn vingers tussen zijn billen stop, bij zijn anus, maar ik doe het niet. Ik heb er een hekel aan in de buurt van dat enge plekje te komen. Ik eindig met een zachte aai over zijn genitaliën – dat noemen ze Koreaans – een gemakkelijk extraatje waar ze altijd van beginnen te draaien en kreunen, en hun billen van samentrekken.

Lekker, Steve? zeg ik, wetend dat hij niets zal zeggen. Ik zie zijn vingers de handdoek kneden – de huid rond de nagels is ontstoken en afgebeten, zwarte haartjes op nogal dikke knokkels.

Ik weet dat hij een erectie zal hebben tegen de tijd dat ik hem omdraai.

Aahh, doet hij als ik hem het condoom omdoe, en ik gniffel niet, hoewel ik zijn gezicht er raar vind uitzien, hij heeft zijn ogen weggerold tot er alleen wit te zien is, zelfs met mij erbij, een volslagen vreemde. Er zit zweet op de glimmende welving van zijn voorhoofd waar vermoedelijk ooit haar gegroeid heeft.

Ik vorm een rondje met mijn vingers rond zijn stijve, nogal kleine, met rubber beklede penis en buig naar voren zodat hij mijn samengeperste borsten kan zien in mijn blouse die ik tot de vierde knoop heb openstaan. Zijn oogleden knipperen fanatiek, zijn hoofd zakt scheef. Ik weet dat hij kijkt.

Hij kreunt, sluit zijn ogen en draait zijn hoofd af en dan barst ik in lachen uit.

Zijn ogen vliegen open.

Sorry, zeg ik, ik moest ergens aan denken.

Hij sluit ze weer en ik ga door, maar de golf komt weer opzetten en ik moet hem loslaten van het lachen.

Hij is geïrriteerd. Heeft het iets met mij te maken?

Nee, zeg ik, veeg de tranen weg met de rug van mijn hand, met mij. Ik dacht gewoon aan wat ik aan het doen ben.

Hij zegt niets en ik zorg er wel voor dat ik met mijn vingers blijf draaien terwijl ik spreek, zachtjes tastend rond de rand van zijn pik waar het donker is van bloed en heetheid.

Hij hijgt en staat op het punt klaar te komen en dan doe ik het onvergeeflijke, ik laat zijn pik vallen als een heet worstje.

Hij slaakt een kreet, grauwt dat ik hem weer moet pakken, maar ik ben al aan het weggaan en zeg, nee, ik kan het niet, ik kan het niet aanzien – en ik ben de kamer uit nog voor het rubbertje kan beginnen op te zwellen van zijn zaad.

Ik liet het geld achter en Mara zei dat ik nooit meer terug hoefde te komen, maar ik voelde me gelukkiger dan ik me ooit in mijn leven had gevoeld. Ik nam de bus naar huis om mijn man te vertellen dat ons leven samen voorbij was.

Mijn timing was goed. Hij was net terug van zijn reisje en zat in de keuken met een blikje cola, zijn das losgetrokken van de hitte, zijn armen staken harig uit de korte mouwen van zijn overhemd. Ik had een hekel aan die hemden. Het hielp dat hij er eentje droeg terwijl ik mijn speech afstak.

Ik ga weg, zei ik een beetje beverig, ik ga weg. Er is iemand anders met wie ik wil samenleven.

Hij keek naar me en toen lachte hij. Hij lachte en streek met zijn duim over het scherpe metalen gaatje in het blikje.

Ik wist dat je dat ging zeggen, zei hij. Ik heb zitten wachten tot je het zou zeggen. Ik heb zelf trouwens ook iemand anders.

Ik ging zitten. Hoe lang al?

Hoe lang wat?

Hoe lang heb je al iemand anders?

Doet dat ertoe? Hoe lang zijn we getrouwd? Ik ben het vergeten, maar het lijkt me verdomd lang.

Hij kiepte zijn cola naar binnen en keek naar me. Ik zou niet kunnen zeggen wat hij dacht.

Ken ik haar? – ik wist dat ik dat niet moest vragen, maar ik kon niet anders.

Ik denk het niet.

Hoe heet ze?

Gaat je niet aan. Maar ze is dunner dan jij.

De mijne niet, zei ik. Ik verlaat je voor een veel dikkere man.

Ik genoot van zijn gezicht toen hij dit verwerkte.

Ik vertelde hem van het kind.

Hoe weet je dat het niet van mij is? zei hij meteen, omdat alle mannen denken dat hun eigen zaad het meest potent is.

Omdat jij en ik – voorzorgsmaatregelen namen, zei ik.

En met hem?

Niet. Maak je niet druk, zei ik, het is niet van jou.

Hij staarde naar de vloer. Een zenuwtrekje zigzagde onder zijn ogen. Al die tijd, zei hij, heb ik op mijn knieën gesmeekt en wilde je geen gezin stichten.

Ik weet het, zei ik en voelde mijn hele lichaam huiveren. Ik weet het.

Gary en ik stonden stil in het park en keken naar de kinderwagens die door het gele gras en het stof rolden.

Elk kind had een zonnehoedje op en droeg een fles sap of een kartonnetje met een rietje. Sommigen hadden blote voetjes en sommigen hadden katoenen sandaaltjes aan met een open teen.

Ouders duwden met uitdrukkingsloze, versufte gezichten, de vrouwen met donkere kringen onder hun ogen en de mannen met een brandende sigaret tussen hun lippen, wegkijkend bij elke gelegenheid, toevlucht zoekend in de matte, hete schaduwen onder de bomen.

Hij gooide al mijn spullen op de overloop voor onze voordeur en ik ging het met Gary in de bestelwagen van de winkel ophalen. Pas op dat moment besefte ik dat het niets was, al die rommel, waarvan ik altijd had gedacht dat ik er niet zonder kon. Alleen maar kleren, cassettes en een schommelstoel. Een paar planten, een lampenkap waarvan mijn man kinderachtig volhield dat hij de voet wilde hebben. Zonder voet zag hij er niet langer meer uit als de mijne. In Melly Hill zou hij in het niets verdwijnen.

Hij bleef in de woonkamer terwijl Gary en ik alles naar beneden droegen, zodat hij Gary niet hoefde te zien. Toen we klaar waren, klopte ik op de deur en riep een vriendelijk bedoelde groet maar hij gaf geen antwoord en het enige wat ik hoorde was de radio die aanstond en een lopende kraan.

Je verlaat je man dus, zei Harris, voor die dikzak?

Ik hou van Gary, zei ik.

Dat weet ik, zei hij, maar het is wel een schok. Het is niet wat ik voorspeld zou hebben.

Dat weet ik, zei ik, maar ik had nog steeds het gevoel dat hij aan de touwtjes trok. Wat zou jij dan voorspeld hebben?

Hij aarzelde, keek naar me. Je vergeet, zei hij, dat het mijn idee was. Ik heb je gevraagd of je kennis met hem wilde maken.

Dat vergeet ik helemaal niet, zei ik. Je zei dat hij een vriendinnetje nodig had...

Maar verdorie geen heel gezin.

Harris pakte mijn hand en kuste mijn vingers. Het staat je wel, zei hij, je lijkt steeds meer op jezelf en steeds minder op haar.

Haar?

Minder op Jody. Minder op je moeder.

En er veranderde iets toen hij sprak, een zwartheid loste op en heel even zag ik iets, een seconde maar, waar mijn hart van opsprong.

Je mocht haar niet, hè? zei ik.

Hij keek me niet aan.

Wat is er? vroeg ik. Wat had je voorspeld, wat had je gehoopt te doen?

Doen?

Ik weet dat je dit huis alleen maar huurt. Ik weet dat je hier kwam om me te zoeken...

Hij stond op en ik wist dat hij het niet zou ontkennen. Hij was kalm.

Wie heeft je dat verteld?

Niemand, zei ik, en de uitdrukking op zijn gezicht beviel me ineens niet. Ben er zelf achter gekomen.

Hij dacht hier even over na en zuchtte toen.

Beloof me één ding, Amy, zei hij, laat me niet in de steek. Jij en Gary moeten niet weggaan. Ik hou van baby's. Ik wil helpen. Laat me je familie zijn. Het is niet alleen Gary, weet je – ik heb ook een familie nodig.

Ik zat daar even verward als toen ik hem voor het eerst ontmoette. Ik voelde de baby feestvieren – dansen op mijn hart.

7

Jimmy, zo noemden we onze baby – en als mensen probeerden ons te corrigeren, en zeiden, o, hij heet dus James, dan vernauwden onze ogen zich en zeiden we, nee, nee, niet James, gewoon Jimmy.

Want het was helemaal niet hetzelfde, de lange en de korte vorm van die naam, en waarom zouden we er twee hebben als we dat niet wilden? We waren nu ouders. We konden doen wat we wilden. Gary zei dat niemand het ons zou kunnen verbieden om ons kind Mister Blue Lagoon te noemen als we dat leuk vonden. Dit was iets van ons, door ons gemaakt uit niks, en daar had niemand iets mee te maken, dank u wel.

Ons eigen kind. Ik fluisterde het tegen mezelf als ik op de wc zat of mijn ogen sloot om te gaan slapen. Soms probeerde ik de woorden hardop uit tegen Gary en dan vond ik het heerlijk om zijn gezicht te zien oplichten.

Niemand is normaal als het over baby's gaat. Dat andere mensen het hebben gedaan en het hebben overleefd, betekent nog niet dat jij dat ook zal doen. Jimmy's geboorte was bijna een operatie, en allemaal omdat mijn baarmoeder zo'n speciale, moeilijke vorm had.

Hartvormig, zei de dokter, en kromde vier vingers om het te laten zien. Grote kans dat je moeder dat ook had.

Kan me allemaal niet schelen, zei ik toen de pijn zich boven mijn hoofd sloot, maar haal verdomme die baby eruit.

Er waren overal machines, rode lichtjes. Ik ijsbeerde door die zoemende kamer. Ze hadden een haaknaald in mijn kut gestoken, er een beetje mee gefriemeld, en nu voelde ik een trage hitte door het lekkende vruchtwater. Het verband dat ze me gaven was groot en dik als een luier en bedekt met een fijn weefsel als van een net-hemd en had aan elke kant een lus.

Voor aan je gordeltje, zei de verpleegster.

Gary staarde er gefascineerd naar, maar ik wilde geen gordeltje. Ik hield alles op zijn plaats door mijn dijen tegen elkaar te drukken en het elke keer terug te schuiven als het naar boven was gekropen in mijn broek.

Soms moest ik gaan liggen terwijl zij handschoenen aantrokken en met hun rubbervingers in me rondwoelden en het deed een beetje pijn maar niet te erg, vooral wanneer je bedenkt wat daar allemaal al eerder had ingezeten.

Een hartvormige baarmoeder. Nogal romantisch, hè? Gary feliciteerde me vanuit zijn ingezakte positie in de schommelstoel.

Er lag een half opgegeten broodje kip op zijn schoot en toen hij naar me toekwam en mijn gezicht aanraakte, roken zijn vingers naar maïskorrels en zoete, knapperige slablaadjes.

Je denkt dat het nooit zal gebeuren, dat je voor altijd zal blijven rondlopen met je bult en dat verband tussen je benen. Maar vijf uur later is mijn broek uit, mijn buik gekrompen en exploderen de kreten van mijn eigen baby in mijn oren.

Ik zweet en bibber en er zit bloed tussen mijn benen en op de vloer en wat ik haast niet kan geloven is dat dit lawaai iets met mij te maken heeft – dit babygehuil dat zomaar uit mij is gekomen – de ene minuut nog stil in mijn kut, dan trekt hij me wijd open en glijdt tussen mijn dijen brutaal de wereld in.

Ik laat me achterover zakken en houd hem in mijn armen, gewikkeld in een stijf ziekenhuislaken, lichtpaarse gestempelde letters en cijfers, de stof gerimpeld rond het kleine, woedende gezichtje.

Hoe is het ermee? fluister ik.

De kraamvrouw lacht. Het is prima en het is een jongen.

Godver, zegt Gary, we hebben het voor mekaar. We hebben een echte, prachtige jongen gemaakt!

Onze jongen. Ik had nooit gedacht dat ik zo blij zou zijn met een baby, maar nu weet ik dat het alles is, van dag tot dag, de bezigheden, dit is het leven waarop ik heb gewacht.

Die eerste momenten van zijn leven sluiten we de wereld buiten en zijn er alleen onze twee naakte lichamen onder de lakens – zijn klamme lijfje zoet en zijig tegen het mijne. En hij kijkt me aan met die scherpe krentenoogjes en ik kijk naar hem en van nu af aan weet ik dat het zo altijd zal zijn. Ik duw mijn tepel in zijn mond en hij spuugt hem uit. Dan vindt hij hem weer, zuigt zo'n beetje, stopt en knippert met zijn ogen.

Liefde is een vlek die zich uitbreidt voor je hem kan stoppen.

Jimmy was al twee dagen oud toen Harris de zaal kwam binnen-schuifelen en ging zitten op een pvc-stoel met een mosterdgele kleur van babystront.

Ik was hem al helemaal vergeten, met Jimmy en zo. Hij kwam me totaal onbekend voor – als iemand uit een film of de vriend van een vriend. Zijn ogen deden me denken aan natuurfoto's – aan on-verbiddelijke roofdierogen. Zijn linnen jasje was zoals gewoonlijk gekreukt, de voering hing eruit, gescheurd aan de onderkant. Hij was ongeschoren en zijn veters waren half los.

Hallo vreemdeling, zei ik.

Amy, liefje – hij stak een hand op – het is hier om te stikken van de hitte.

Ik schokschouderde.

Hoe is het met je? zei hij alsof iemand met hem had gerepeteerd wat hij moest zeggen.

Nou, Harris, om je de waarheid te zeggen. Ik heb een vakantie-gevoel.

Het was waar, ik vond het fantastisch, had het naar mijn zin, zo samen met Jimmy ingestopt in de matte hitte. Ik was er pas een paar nachten, maar ik voelde me thuis in deze kraamkliniek.

Je lag maar een beetje te liggen en je deed niks. Het zwaarste wat je moest doen was naar de badkamer lopen. Je vinkte iets aan op een kaartje en de maaltijden werden naar je toe gebracht – keurige brokjes met mooie kleurtjes die naar niks smaakten – en daarna kon je naar muziek luisteren met de koptelefoon op terwijl je je kind de borst gaf en naar je volmaakte en verbazingwekkende baby staarde.

Er was een bibliotheek met leesboeken, en een kapel om te bidden en kiosken waar je tijdschriften kon kopen en broodjes en zelfs kleding voor extra grote maten en zo. Er was een winkeltje dat rode en fel turkooizen anjers verkocht en metaalkleurige ballonnen aan een stokje en de lichten bleven de hele nacht gloeien, alsof het ziekenhuis zijn eigen klimaat en avondschemering en ochtendgloren had.

Het meisje dat de thee rondbracht heette Lucia en was een babbelkous. Ze vertelde me dat ze een zus had die heel knap was in opmaken – gespecialiseerd in bruiden op de grote dag. Toen ik haar vertelde dat ik niet eens getrouwd was met de vader van Jimmy (ik liet mijn man er natuurlijk buiten) lachte ze en vroeg of ik wist dat zes van de tien bruiden die haar zus deed, al in de eerste vijf jaar scheidden? Ik zei dat het me niets verwonderde. Misschien maakt ze ze niet mooi genoeg, zei ik.

Dat vond ze grappig. Ze lachte tot ze thee morste. Dat zal ik haar zeggen, zei ze.

Harris ging in een hoekje zitten en babbelde met Gary. Dat kon me niet schelen. Ik voelde me als de koningin. Ik had het gevoel dat voor één keer de wereld niet kon draaien zonder mij, zodat ik niet langer het gevaar liep iets te missen. Ik had ongelijk op beide punten.

Ik merkte hoe zenuwachtig Harris was, die aan het eelt op zijn duimen zat te pulken, blikken om zich heen wierp. Hij keek nauwelijks naar de baby of naar mij. Sommige mannen zijn bang wanneer je melk in je borsten krijgt en Harris – hoewel ik dat soms vergat – was een oude man en die zijn het bangst.

Na tien minuten kwam hij toch naar me toe, porde tegen Jimmy's gebalde vuistje met een vinger.

Hallo, zei hij tegen Jimmy en wachtte alsof die iets zou kunnen terugzeggen.

Harris zei dat hij iets van mijn broertje in hem zag en ik keek heel aandachtig. Het was nooit in me opgekomen om er iets van Paul in te zoeken.

Hij knikte. Hetzelfde haar, dezelfde vreemde ogen.

Alle baby's hebben zulke ogen, zei ik, omdat ik niet wilde dat hij eens even zou gaan bepalen hoe Jimmy eruitzag of welk mix van mensen in hem zat.

Het ziekenhuis zag er niet uit als die hygiënische Amerikaanse klinieken die je op de televisie ziet. Afbladderende verf, toiletten die naar papier en plastic en pis roken en je wist niet hoe vaak er mensen in je bed waren gestorven of op wat voor manier.

Hoe prettig ik het er ook vond, na drie dagen begonnen de geluiden van mensen die niet konden slapen en alle kraamverhalen – allemaal anders en allemaal hetzelfde – op mijn zenuwen te werken en wilde ik naar huis. Ik zei dat tegen Gary toen hij zijn best zat te doen niet in slaap te vallen in de schommelstoel.

Hij schoot overeind en deed zijn ogen open. Maak je geen zorgen, zei hij, we krijgen je er wel uit – en hij kwam overeind en liep weg om weet ik wie te halen.

Ik keek hem na, zijn grote vorm die zich steeds verder verwijderde in de zaal en ik probeerde hem te zien zoals anderen hem zagen maar ik kreeg het niet voor elkaar. Wie was hij eigenlijk? Dat was altijd het probleem met Gary – het was alof ik hem nooit goed in beeld kreeg, nooit ergens anders was geweest dan pal voor zijn gezicht.

In mijn kindertijd adopteerde Eileen (die de zin van haar hele leven gebaseerd had op kreupele dingen) een wilde kat – met weerbarstige klitten en kale plekken op zijn kop en zwarte bloedvlekken. Het beest hunkerde naar liefde, maar je wist ook dat hij zijn tanden flink zou laten voelen als je maar een beetje kleiner was.

Nu heeft Jimmy zo'n kat van me gemaakt, een wild ding met uitgeslagen klauwen. Ik ruik gevaren die ik vroeger niet kon ruiken. Bloed doet me niets meer. Ik zou met kloppend hart staan wachten op een trap, een vlijmscherp vleesmes onder mijn jas verborgen, klaar om te doden. Ik zou alles doen om Jimmy te beschermen – om hem te laten leven en ademen en van mij te laten zijn.

Uiteindelijk is de kat onder de wielen van een vrachtwagen gekomen, jagend op schaduwen. Eileen treurde, maar Brian zei dat hem goddank de kosten bespaard bleven het dier te moeten laten afmaken.

Gary was zo trots. Het kon hem niets schelen op wie Jimmy leek. Hij zag alleen maar dat alles waar hij op gehoopt had was uitgekomen.

Als hij alleen was geweest, zou hij nooit weer naar zijn werk zijn gegaan. Hij was zo'n vader waar je over leest, die met slabbetjes en vochtige doekjes rondloopt en bij het schoolhek staat te wachten en er nooit genoeg van krijgt om massa's kinderen op de schommel te duwen.

Hij praatte tegen Jimmy, vertelde hem grapjes en kuste hem op zijn neus en tilde hem op en hopste rond met hem in zijn armen. Hij keek hem aan en zei hem recht in zijn gezicht wat een mooie en volmaakte en slimme jongen hij was. Hij maakte Disneygeluiden om zijn eerste glimlachje te vangen, zijn eerste lach. Hij opende de gebalde vuistjes en viste er alle stofjes en korreltjes uit die er zweterig in waren blijven plakken.

Hij bedekte het mollige kinnetje met kussen, waar een straaltje doorzichtige melk ontsnapte uit blauwige lippen. Hij kon geduldig zitten wachten en naar de bellen kijken die Jimmy blies in zijn slaap, het gesnuif, de onzichtbare ademhaling. Hij kon met Jimmy door de kamer lopen, de kinderwagen met zijn voet heen en weer duwen zonder kramp te krijgen, neerploffen voor de tv met het joch veilig in de kromming van zijn arm.

Hij was een supervader.

Hij vertrok laat naar zijn werk en kwam vroeg thuis. Hij bracht geschenkjes voor me mee: een paar spiraalvormige oorbellen, zijdeachtige plakken parmaham, een geëmailleerd ei, een boek met Amerikaanse liefdesgedichten vol met 'als dit' en 'als dat'. Ik droeg de oorbellen, ook al bleven ze haken aan Jimmy's sjaal, at de ham op, zette het ei en de gedichten op de schoorsteenmantel bij de andere dingen die hij voor me had gekocht.

Hij klaagde niet over het verschonen van luiers. Hij maakte Jimmy's naveltje schoon en strooide er het speciale poeder op. Hij deed boodschappen en kookte en zong me in slaap. Hij kreeg er een paar extra haren bij op zijn borst waar er vroeger nauwelijks hadden gezeten en daar moesten we om lachen toen we elkaar uitkleedden.

's Nachts bleef hij soms nog lang op en praatte met Harris. Ik weet niet waarover ze spraken en het kon me ook niet schelen. Soms dacht ik dat ik ze hoorde schreeuwen, maar ik viel in slaap en mijn slaap was altijd hetzelfde, een plotselinge val in de duisternis. Ik droomde niet. Ik begreep eindelijk waarom ze het vallen noemen.

Jimmy bleef al vier uur rustig tussen twee voedingen en ik vond het vriendelijk van Harris dat hij aanbood op hem te letten terwijl ik ging winkelen. Ik was dringend aan een wandeling toe, aan rust, aan even alleen zijn.

Toen ik terugkwam, sliep Jimmy en zat Harris de krant te lezen. Ik bedankte hem. Graag gedaan, zei hij, en gaf me Jimmy's extra fopspeen in zijn doorzichtige doosje, je laat het maar weten.

Maar Gary was woedend toen hij thuiskwam en het hoorde. Doe dat nooit meer, zei hij, toen ik op ons bed ging zitten om Jimmy te verschonen en zijn billen met roze lotion afveegde. Hij is niet te vertrouwen. Ik wil niet dat je hem alleen laat met ons kind. Begrijp je dat dan niet, Amy?

Wat kan er nu gebeuren? vroeg ik rustig terwijl ik Jimmy's zachte achterste insmeerde met babyzalf.

Gary's buik schudde als hij boos was. Hij ging bij het raam staan en je zag de rode striem die de band van zijn jeans in het vlees had gemaakt. Ik wil er zelfs niet aan denken, zei hij.

De volgende dag vroeg hij of ik had gemerkt dat hij was afgevallen.

Nee! riep ik meteen uit, dat wil ik niet.

Hij keek me ongelovig aan, wierp een blik opzij in de spiegel en haalde zijn vingers door zijn overeind staande haar.

Ik wil niet mijn hele leven dik zijn.

Je bent niet dik.

Toe nou, Amy. Hij ging zitten, legde zijn hoofd in zijn handen en keek alsof hij iets anders wilde zeggen. Toen zuchtte hij alleen maar – dat ben ik wél.

Ik zei niets. Ik wist niet hoe ik hem moest tegenspreken op een manier die bij hem zou blijven hangen.

Ik wil niet dat mijn zoon me dik ziet.

Jimmy sliep in mijn armen. Ik bevrijdde mijn glibberige tepel uit zijn mond en legde hem in zijn wikkelsjaal op bed. Ik was het nu gewend met hem om te gaan. Je zag dat het mijn baby was, aan de manier waarop ik de dingen scheen te doen zonder erbij na te denken. Als ik zelf had kunnen toekijken, zou ik onder de indruk zijn geweest. Ik was echt moederlijk.

Je hebt je er nooit druk om gemaakt, zei ik.

Hoe weet jij waar ik me druk om maak? zei hij. Je weet niets, Amy. Je denkt dat je het weet, maar je weet niets.

Het gaat over Harris, hè? zei ik, omdat Harris altijd aan de basis van onze problemen lag.

Wil je je hele leven onder zijn dak blijven wonen? vroeg Gary, is dat wat je wilt? Je bent gewend aan een man en een eigen huis. Over een maand ga je weer aan de slag in het restaurant, een volledig salaris. We kunnen iets bereiken. We zijn een gezin. Zelfs een huurwoning zou beter zijn dan dit.

Ik keek voor me uit. Jimmy snoof en kuchte.

Ik zou hem nooit pijn doen, zei ik langzaam.

Het kind slaapt tussen ons in, in ons grote, doorgezakte bed op een magische schapenvacht die zijn braaksel en pis allemaal schijnt op te slorpen en nauwelijks gewassen hoeft te worden. Gary zegt dat hij zich afvraagt waarom niet iedereen op zo'n ding slaapt, dan hoefde je de lakens één keer minder te verschonen. Maar als je bedenkt wat wij uitvoeren, denk ik dat je ze toch maar beter verschoont.

Soms wanneer ik op mijn zij lig om Jimmy te voeden, nadert Gary me van achter en begint mijn billen te strelen en mijn dijen en het hete, harige babygaatje waar nog steeds bloed uit druppelt op een verband.

Soms stopt hij zijn hele vinger in het gaatje – vind je dat lekker? zegt hij dan zachtjes, zijn adem zoemend in mijn oor. Maar hij heeft geen antwoord nodig, omdat ik zo lig te draaien en zuchten. Hij vindt het bloed niet erg. Hij vindt niks erg van mij. Hij zal elk deel van mijn lijf proeven met zijn mond, wat er ook uitkomt.

Hij strijkt rond het gaatje terwijl ik lig te kronkelen, mijn tepel nog in Jimmy. Als die eruit floept tijdens de voeding krijgen we herrie, dus ik probeer niet te veel te bewegen. En soms haalt Gary zijn vinger eruit en likt eraan en stopt hem er weer in, op en neer, en streelt tot mijn adem hortend en stotend wordt. Allemaal terwijl Jimmy ligt te zuigen en geniet van een lekkere lange maaltijd.

Daarna leggen we hem in de wieg bij het bed en dan komt Gary zo zacht in me dat het aanvoelt als warm glijdend en rijzend deeg. Eerst ben ik bang dat mijn hechtingen pijn zullen doen of zelfs zullen losgaan, maar net zoals Gary groot wordt voor mij, kan ik groeien voor hem en passen we weer precies in elkaar zoals anders.

Zo, zucht hij, voel je dat?

Hij probeert aan mijn tepels te zuigen maar de ongewone zoetheid van mijn melk schrikt hem af. Ik wijs hem erop dat ik zijn bittere melk wel heb geslikt, maar hij lacht en zegt dat dat niet hetzelfde is. Deze melk is van Jimmy, zegt hij, gemaakt voor Jimmy.

O, en voor wie is de jouwe dan gemaakt?

Voor jou.

Het eerste orgasme na de geboorte zendt me naar de hemel en terug – serieus – er knappen elektrische lichtjes in mijn hoofd, hete strepen striemen over mijn ledematen, een magneet trekt mijn kut naar het middelpunt van de aarde. Gary lacht als ik het zo vertel, maar ik kan het niet anders zeggen.

We zouden vaker een baby moeten krijgen, zegt hij.

Wanneer we klaar zijn veegt hij het bloed van zijn pik met een oude handdoek en dan nemen we Jimmy weer tussen ons in.

Het is jammer van de wieg. Gekregen van het restaurant – duur bewerkt kersenhout met een Doornroosjelamp – en hij wordt alleen maar gebruikt als we neuken.

Een baby hebben geeft je geheugen een duwtje – je krijgt weer flitsen van jezelf terug, stukjes die je vergeten was worden uitgestald als oude kleren op bed.

Toen ze het lijk van mijn moeder uit zee haalden, stonk het, omdat het er al een paar dagen in had gelegen. Ik maakte mezelf onzichtbaar op het zand, maar een man die ik kende kwam naar me toe en zei, niet huilen, ik zal wel zorgen dat je je beter voelt.

Ik kende de man dus was het veilig en ik was te jong om geen spelletjes te willen spelen. Toen hij me hoog in de lucht gooide, lachte en lachte ik, hield van het gevoel in mijn maag, die op-en-neer beweging die je niet kon stoppen, de vallende druk op mijn borst.

Maar toen veranderde het en werd ik bang, zoals wanneer kietelen niet meer leuk wordt en omslaat in pis en pijn. Ik probeerde te roepen dat hij moest stoppen, maar ik kon zelfs niet genoeg adem krijgen voor dat kleine woordje, en mijn tranen stroomden.

Hij gooide me zo ruw dat ik ter plekke op het zand moest braken.

Soms lijkt het alsof je met je nieuwe baby verbonden bent door een draad – geen onzichtbare, maar een sterk, hard koord zo zichtbaar voor iedereen dat je het niet durft te verbreken, zelfs niet voor een seconde, omdat men je dan een slechte moeder vindt. Een tijdschrift lezen, je gezicht opmaken, door het huis dwalen als een vrij mens, vergeet het maar. Je kan zelfs niet op je gemak naar de wc zonder een heimelijk, knagend schuldgevoel.

Wanneer hij vol melk is en eindelijk opgeslokt door slaap, dan sluip je weg, maar daardoor trek je aan dat touw en maak je hem wakker. Zonder te zien weten zijn zwarte ogen je te vinden in de kamer. En je lijf smeekt om een bad, om schoon ondergoed omdat je onderbroek zo stijf staat van het bloed dat de haartjes daar beneden trekken, om te ontspannen en even je eigen gedachten te denken. Dus zet je hem in zijn reiswieg naast je op de badmat en stap je in het volle bad. Een korte doezelige stilte, maar dan begint hij – eerst een soort aarzelende nies, dan beginnen de vuistjes te zwaaien, het mondje zuigt lucht naar binnen, hij werkt zich toe naar een complete opvoering.

Gary steekt zijn hoofd om de deur, zijn mond vol crispy's en melk. Gewoon negeren, zegt hij, hij bedaart wel. Geniet maar van je bad. Ik breng je een kop thee.

Genieten? Dunne melk welt op uit mijn tepels en tranen lopen over mijn borsten, beide vloeistoffen vallen in het hete, geurige water.

En dus zet mijn o zo gevoelige dikkerd zijn kom crispy's neer en legt een hand op mijn hoofd, geeft me een prop wc-papier, maar die valt uit elkaar door mijn natte handen en blijft plakken zodat ik mijn hand in het bad moet steken en nu drijft het overal.

Ik zal hem wel nemen, zegt hij. En als hij onze baby optilt ontsnapt er een harde boer. Zie je wel, zegt Gary alsof hij alles weet wat er te weten valt in de wereld.

Als hij rustig de badkamer uitloopt rukt er iets aan mijn hart, of het nu geheugen is of verlies of opwinding valt moeilijk te zeggen.

De advocaat van mijn man belde om te zeggen dat mijn echtgenoot wilde scheiden en zo snel mogelijk omdat hij weer wilde trouwen.

Prima, zei ik, maar had hij me dat zelf niet kunnen vragen?

Hij zei dat zijn cliënt er liever niet bij betrokken werd. De zaak lag hem nog te gevoelig.

Dit beeld van mijn man was nieuw en intrigerend voor me.

Jimmy was bijna vier maanden oud en begon tandjes te krijgen toen Gary een eigen woning voor ons vond.

We nemen hem, zei hij, voor ik hem zelfs gezien had, terwijl we blijven uitkijken naar iets beters.

Zit het je zo hoog? vroeg ik.

Hij knikte. Ik vertrouw Harris niet meer. Dat is verleden tijd.

Maar – jullie waren zulke goede vrienden...

Dingen veranderen. Het is afgelopen tussen ons, zei hij scherp. Wat je ook mag denken dat er geweest is.

Het was klein, zei hij, twee kamers en een keuken, wc, douche – maar het was een flink eind van Melly Hill en daar ging het om. Hij kende de eigenares, had iets te maken met de winkel. Ze zei dat ze zou afzien van een waarborgsom. En dat maakte heel wat uit, zei hij.

Hij vroeg me of ik het wilde zien. Ik vroeg wat dat voor zin had. Hij had toch al besloten. We gingen er toch naartoe.

Het is het beste, zei hij.

Hij kuste me en je zag dat hij afgeleid was door de gedachte aan ons nieuwe leven samen omdat het hem niet eens lukte de kus af te maken.

Op het consultatiebureau wilde ik met niemand praten, ook al stonden er zoveel buggy's kameraadschappelijk naast elkaar en werd er druk vergeleken tussen grootte en gewicht en dagelijkse dingen.

Ik trok mijn nummertje en wachtte op de laatste van de kale, oranje plastic stoelen.

Jimmy leek nooit veel te zijn aangekomen, maar ze zeiden dat hij veilig binnen de normen viel – op een redelijke plaats op de kaart. De laatste keer had de vrouw met haar potlood een kruisje gezet in een hokje en een lijntje getrokken naar weer een ander. Ik leunde voorover en knikte geïnteresseerd, hoewel ik niet veel kon ontdekken over mijn eigen baby aan de hand van al dat gekrabbel en gecijfer.

Hé, ventje, zei ze, toen ik hem moest uitkleden en op de weegschaal zetten. Hé, wat is er allemaal aan de hand. Vind je het niet leuk dat je mama je helemaal bloot maakt?

Ze zeiden steeds dat de luier ook uit moest, hoewel ik niet inzag wat die nu kon wegen. Hij was schoon en droog, dus ik vouwde hem op om hem weer te gebruiken, en het was niet te geloven, maar zodra ik hem op de blauwe papieren handdoek legde piste hij – een bibberige explosie van geel dat terugspetterde op zijn kleine, magere borst en vlekken maakte op haar blauwe dossiermap.

Ik weet bij god niet waarom, zei ze, en gebruikte een Kleenex om haar map af te vegen. Maar doe die luier uit en ze krijgen ineens aandrang om het te doen. Je wilde fonteintje spelen voor ons hè? zei ze tegen Jimmy. Vond je dat leuk?

Jimmy keek naar haar in al zijn naaktheid, zonder veel zin om te lachen, en zonder genoeg reden om te huilen. Ik wikkelde hem weer in zijn luier en pakje en duwde de drukkers dicht en we gingen zitten voor het praatje.

De consulente nam haar gouden boekje en bladerde erin. Ze bekeek me aandachtig en vroeg of ik genoeg slaap kreeg en ik zei, ik weet niet. Wat is genoeg?

Krijg je veel hulp? zei ze, van je man?

Hij doet alles, zei ik en dat was min of meer waar. Koken, schoonmaken, wassen, alles.

Ze lachte en vroeg of ik hem niet meteen naar haar adres kon doorsturen want ze kon de hulp best gebruiken. En hoe zit het met seks? vroeg ze.

Wat is ermee? Ik bloosde, vroeg me af of ze me wilde laten denken dat ze op dat gebied ook tekort kwam.

Alles in orde? Wat voor voorbehoedsmiddelen gebruiken jullie?

Ik zei dat we Durex gebruikten en ze vroeg of ik er nog meer nodig had. Ik zei dat ik er graag een paar zou krijgen, hoewel Gary en ik het eerlijk gezegd vooral aan het lot hadden overgelaten, nu onze lichamen zo versmolten waren, nu we een gezin waren. Ik had er niet veel bij stilgestaan, maar wat mij betrof stonden we zo vast als een stevig bewortelde boom: wat er aan ons wilde groeien mocht groeien en veel geluk ermee.

Ik neem aan dat je geen zin hebt om nu al weer zwanger te worden? zei ze, alsof ze mijn gedachten kon lezen – en ik lachte en zei dat ik nog niet eens ongesteld was geweest.

Dat zegt niks, zei ze. Toen vroeg ze me of Jimmy al vast voedsel at.

Moet dat? vroeg ik.

O, zei ze, een beetje geprakte banaan of wat babyrijst zou goed zijn. Probeer het maar. Als hij geen zin heeft, stel je het nog een week uit.

Jimmy leek nergens zin in te hebben behalve in mijn twee smakelijke, rauwe tepels, maar toen ik thuiskwam nam ik een rijpe banaan en ging hem met een vork te lijf tot het een gele pulp was en schepte een hapje op zijn lichtblauwe plastic lepeltje en bond hem vast in zijn wipstoeltje.

Eerst trok hij een vies gezicht en stak zijn tong uit en spuugde alles weer uit, maar ik bleef proberen en ten slotte gaf hij het op en slikte alles in, gewoon om iets te doen.

Ik zag alles – pulp en een paar zwarte zaadjes – er later weer uitkomen in zijn luier. Ik werd er droevig van omdat het betekende dat hij nu bij het menselijk ras behoorde: afgelopen met die heerlijke, zuiver gele, zoet ruikende babystront.

Ik lig naast Jimmy op bed en ver weg is iemand de weg aan het opbreken – het soort geluid dat je in je tanden en tandvlees voelt zoemen als je dichtbij komt.

De dingen beginnen weer normaal te worden en het is zomer en ik ben zweterig tussen mijn borsten en er zijn een paar zwarte schilfertjes aan mijn huid blijven plakken. Ik ruik de lekkere kleefgeur van de lijm die Gary heeft gebruikt om de tegels vast te plakken op de wc hiernaast.

Jimmy is half in slaap, half wakker – is bezig, doet zijn handjes open en dicht – probeert te bedenken of hij nu moet huilen of niet. Ik kijk naar zijn gezichtje en hij glimlacht naar me en het glanzende, natte ronde puntje van zijn tong verschijnt. Ik wieg zijn hoofdje, kus de zichtbare hartenklop tot ik moet niezen van zijn honinggeur.

Soms lig ik naar mijn herinneringen te kijken als naar de tv: vormen drijven voorbij, sommige geloofwaardig en sommige niet.

Vlak voor we Melly Hill verlieten, kocht Harris een cadeautje voor Jimmy, een plastic huis dat je met een plastic bandje aan zijn ledikant kon vastmaken en als je aan het touwtje trok speelde het 'Pop Goes the Weasel'.

Hij is te jong om daaraan te trekken, zei Gary meteen nijdig toen ik het uitpakte. Daar heeft hij de reflexen nog niet voor.

Het is prachtig, zei ik tegen Harris, ik zal het ophangen zodat hij ernaar kan kijken. Hij kijkt nu echt naar dingen.

Jimmy spartelde tegen toen ik hem in zijn ledikant legde, maar zodra hij Harris' huisje zag, het leek wel magie, zweeg hij en keek. Ik bracht mijn hoofd dichtbij de spijlen en probeerde te zien wat hij zag. De ramen en deuren van het huisje waren op een sprookjesachtige manier geplaatst, om een gezicht na te bootsen – een slaperig, slap, huiselijk gezicht met een dunne rode mond gevormd door de deur.

Kijk nu toch, zei Harris, hij kan er zijn ogen niet vanaf houden. Ik denk dat hij het leuk vindt.

Natuurlijk, zei ik, hoewel ik voelde dat Gary er in de hoek van de kamer het zijne van dacht.

Een paar dagen later leerde Jimmy dat hij tegen het huis kon meppen met zijn vuistjes zodat het tegen de spijlen van zijn ledikant sloeg. Het gekletter werd zo hard dat we het wanneer we wilden gaan slapen moesten verhangen, zodat hij er niet bij kon.

Op een keer werd ik midden in de nacht wakker en hoorde 'Pop Goes the Weasel' spelen – alleen maar een paar traag aflopende maten – en ik rende ernaartoe en zag dat er – aan de buitenkant van het bedje – een heel klein beetje aan het koordje was getrokken.

Hij moet het in zijn slaap gedaan hebben, zei Gary, er is geen andere verklaring voor.

Ik was het met hem eens. We waren allebei zo perplex. Soms moet je de eenvoudigste verklaring aannemen.

De flat was in Lalla Road, bij Chantney Bridge, ironisch genoeg vlak om de hoek van de blindentuin.

Vind je dat vervelend? vroeg Gary me alsof hij daar nu pas aan dacht.

Dat is verleden tijd, zei ik – bang voor de gedachte dat ik nog niet over dat deel van mijn leven heen zou zijn.

De huizen waren gebouwd in zo'n grote, oude, lichte steen-soort, zwart gevlekt op plaatsen waar ze schoongemaakt moesten worden. Je zag ze het wel eens doen met waterspuiten – een duur grapje.

Maar dit was het onverzorgde gedeelte. Zwarte zakken met rommel stonden op de stoep. De ingedroogde overblijfselen van iemands kat waren op straat geplakt.

We trokken erin op een hete middag toen de bomen stoffig wa-ren van het stuifmeel, de lucht bedwelmend als chocolade. Gary stak zijn sleutel in het slot en toen we eenmaal in de hal stonden, werden we overvallen door het donker en de scherpe vochtigheid. Het tapijt was tot op de draad versleten, bedekt met rommel en kranten die naar binnen waren geschoven.

Het is in prima staat, mompelde hij, hoewel ik niets had gezegd, heeft alleen hier en daar een likje verf nodig.

Ik zei nog steeds niets. Jimmy had een verkruimelend beschuitje in zijn vuist en hij liet het vallen en dus raapte ik het op en gooide het weg.

Krullerige tapijten, zei Gary toen hij me naar de slaapkamer leidde. Ik keek rond in ons nieuwe liefdesnestje. Ik kon me moei-lijk een leven voorstellen tussen deze muren, maar het is nu eenmaal zo dat je altijd maar moeilijk kunt houden van andermans muren – kaal en zonder betekenis.

Waar moet Jimmy slapen?

Bij ons, zei hij, zoals altijd.

En later?

Dan verzinnen we wel wat.

Al het meubilair was bruin en rook naar honden en ouderdom.

We gingen bij het raam staan en keken uit op een betonnen plein waar een roestige driewieler stond met een plasje regen in het zadel.

Jimmy zal geen tuin hebben, zei ik.

Dan maken we een tuin.

Ik was rot aan het doen. Ik stak een sigaret op, besefte dat het de eerste was sinds Jimmy's geboorte.

En ik wil er niks over horen, zei ik.

Gary haalde diep adem en zei niets, maar hij wuifde de rook weg met zijn hand.

Er moet iets aan gebeuren, zei hij, dat weet ik.

We wachtten buiten op de bestelwagen met het weinige meubilair dat we bezaten. Ik genoot van mijn sigaret, het deed goed om mezelf te vullen met iets slechts.

Het is een nieuwe start. Ik wil dat we een gezin zijn, zei hij, alsof hij nu pas op dat idee kwam.

Ik had Hetty gebeld en een datum afgesproken om weer te gaan werken en nu moest ik een oppas zoeken, maar de gedachte dat ik mijn Jimmy bij iemand anders thuis moest achterlaten beangstigde me.

De avondshifts waren prima – ik zou er maar een paar doen en dan kon Gary op hem letten – maar ik moest ook vier dagshifts doen. Een officieel geregistreerde gastmoeder had een hand-geschreven advertentie opgehangen in de krantenwinkel op Chantney Bridge, waarin ze zei dat ze ruimte had en referenties kon laten zien enz., enz., en ik had haar gebeld en afgesproken om langs te komen. Maar haar stem klonk erg krakend en droevig aan de telefoon en ze vroeg niet eens hoe mijn baby heette.

Krakend en droevig? herhaalde Gary zachtjes toen hij achter

ne in bed lag. Zijn warmte werd steeds harder en leidde steeds
neer af naarmate hij tussen mijn twee blote billen drukte. Dat
begrijp ik niet – hoe kan je nou weten hoe ze is, door de telefoon?

Het is gewoon zo, zei ik, en ik begon al nat te worden van zijn
geduw, ik voel dat soort dingen nu eenmaal. Ik kan ze niet negeren.

Het was waar. Heel mijn leven heb ik dingen geweten en het
allerzekerst was ik van mijn baby – als iemand die ik had verwacht,
die ik al kende, die een dezer dagen bij me zou komen. Toen hij
er dus uitkwam, was het niet echt een verrassing, maar een opluchting, een herkenning – de wetenschap dat ik sinds ik zelf een
klein kind was, op Jimmy had gewacht, in de wetenschap dat mijn
Jimmy op weg was naar mij.

Ik duw mijn baby in zijn kinderwagen door de blindentuin en vraag
me af of je iets zou kunnen flikken met een kind op sleeptouw. Ik
neem aan dat het ervan afhangt hoe diep hij slaapt. Het gaat helemaal niet slecht met Jimmy de laatste tijd, hij wordt maar één keer
per nacht wakker en na de lunch doet hij een middagslaapje waar
 je op kan vertrouwen.

Hij slaapt nu – zijn vuistjes geheven als een krachtpatser, zijn
hoofd keurig naar één kant gedraaid op het dekentje met een
patroon van roze en blauwe konijntjes die elkaar achternazitten.
De kant van zijn hoofd waar hij het liefst op slaapt heeft een kaal
plekje, het haar is zo zacht dat het is afgesleten.

Er zit maar één man op de verste bank. Hij is vrij jong, ziet er
niet slecht uit met zijn denim hemd aan en hij rookt een sigaret en
staart naar de blauwe rookspiraal. Hij zegt niets als ik erbij kom
zitten. Ik kijk naar hem en hij zegt nog steeds niets, maar ik weet
dat hij alert is. Ik glimlach en hij kijkt zogenaamd geïnteresseerd in
de kinderwagen.

Jongen of meisje?

Meisje, zeg ik – wat kan jou het schelen, denk ik, je hebt toch
maar één ding in je kop – kleine Daphne.

Kleine Daphne? zegt hij.

De naam van mijn moeder.

O, zegt hij, leuk.

We blijven wat zitten. Alle vogels kwetteren en je hoort het doffe gekreun van het verkeer in de verte.

Je wilt zeker geen sigaret? zegt hij.

O nee? Waarom niet?

Toch slecht voor de baby?

Ik haal mijn schouders op, neem er een uit het aangeboden pakje en hij houdt het vlammetje van de aansteker met vaste hand voor mijn ogen.

Prachtige dag, zegt hij. Kom je hier vaak?

Nee, zeg ik, maar vroeger wel...

O ja?

Ik pikte hier mannen op.

Hij neemt een haal van zijn sigaret en draait zijn hoofd om en ik voel dat hij kijkt. Ik kijk recht voor me uit. Ik laat hem de zijkant van mijn gezicht bekijken.

Wat? zegt hij.

Ik doe mijn mond open en sluit hem weer. Mannen oppikken, zeg ik. Je weet wel. Voor geld.

Stilte. Hij trapt de sigaret uit met zijn hak, ziet er half bedroefd half bang half hoopvol uit – dat doen ze meestal. Ik vraag me af of ik hem een pijpbeurt zal aanbieden. Ik vraag me af of ik hem mee zal nemen naar Mara en hem mijn borsten zal laten zien of zijn broek zal openmaken en zijn kleine, gretige pik eruit zal voelen springen.

Ik dacht dat je een getrouwde dame was, zegt hij.

Ik lach en kijk hem aan en leg een hand op zijn dij en haal hem dan weer weg.

Ik bedenk ineens dat ik nog iets moet doen, zeg ik.

Zie ik je morgen? vraagt hij.

Misschien – ik doe de rem van de wagen – ik kan hem maar beter zijn eten gaan geven.

Het valt hem niet op dat kleine Daphne van geslacht is veranderd. Hij kijkt naar mijn kont die weghobbelt over het grind.

Maar de volgende dag had ik het te druk met de keuken te schilderen om me bezig te houden met mannen in de blindentuin.

Ik had verf gehaald. Ik maakte het allemaal wit, een egaal, glanzend wit in alle schaduwen en scheurtjes.

Gary kwam binnen met Jimmy toen ik bezig was en vroeg of ik wilde dat hij het zou overnemen maar ik zei nee bedankt, het gaat prima. Ik vond het prettig ontspannend.

Jimmy was de hele ochtend al aan het zeuren, probeerde te drinken, maar gaf het op na een paar keer zuigen, en begon daarna weer te huilen van de honger. Ik vroeg me af of het aan mij lag, mijn borsten, en ik kwam in de verleiding om de fles op hem uit te proberen. Maar toe ik dat idee tegen Gary opperde, zei hij nee – hij vond het leuk dat ik zijn zoon met mijn lichaam te eten gaf.

Hij had met hem op en neer gelopen, maar telkens als hij stopte, begon Jimmy weer. Misschien had hij echt honger. Misschien werd hij wel net zo'n grote vlezige jongen als zijn vader.

Gary moest bijna naar zijn werk vertrekken. Ik neem hem wel over als je wilt, zei ik, ook al wilde ik eigenlijk doorgaan met schilderen.

Het is oké, zei Gary.

Weer huilen.

Ik wil je hiermee niet achterlaten, zei hij.

Leg hem neer, zei ik, laat hem maar een paar minuten huilen.

Dat heb ik al geprobeerd, zei Gary.

Probeer het maar wat langer. Hij heeft waarschijnlijk gewoon slaap nodig.

Gary zuchtte. Hij liet Jimmy gewoon niet graag huilen – dat druiste in tegen heel zijn bezorgde karakter.

Ik legde de kwast neer en veegde mijn vingers af aan mijn broek. Misschien komt er een tandje door, zei ik.

Nu al?

Ik weet het niet. Misschien. Het zou wel kunnen.

Ik stopte mijn schoonste vinger in Jimmy's mondje en voelde aan het hete tandvlees. Er was veel speeksel – het speeksel liep er zelfs uit over mijn hand. Maar zodra ik hem aanraakte, begon Jimmy te huilen, met zijn mond wijdopen en donker.

Toen Gary naar zijn werk was vertrokken legde ik hem in zijn bedje en liet hem een tijdje krijsen en toen ik het niet langer kon verdragen nam ik hem op en ging met hem op bed liggen. Hij ging maar door en ik had zin om hem door elkaar te schudden maar ik wilde niet dat er een stukje van zijn hersenen zou loskomen zoals dat in de kranten staat – daarvoor ga je de cel in en terecht – dus ging ik een eindje verder liggen en huilde met hem mee.

Ik nam zijn temperatuur. Die was een beetje te laag.

Ik had hem bijna rustig gekregen, hem weer in mijn armen genomen, maar toen maakte ik een fout door hem een tepel aan te bieden en hij haalde eens diep adem en wilde het weer op een huilen zetten.

Ik rende de kamer uit en stopte niet tot het geluid was gedempt door twee deuren. Ik wachtte. Mijn hart bonkte. Ik telde tot tien, twintig, dertig.

Tegen lunchtijd was hij maar een minuut of tien stil geweest en ik had barstende koppijn.

Ik was bang dat ik hem echt iets zou aandoen als hij niet stopte, dus zette ik hem in de kinderwagen en liep heen en weer in de gang, maar je kon niet keren als je aan het eind was gekomen en je moest achteruit terugschuifelen en onderweg de stofzuiger opzij-duwen.

Ik viste hem met een snelle beweging uit de wagen en droeg hem weer naar de slaapkamer en liet hem op bed vallen en schreeuwde naar hem. Hij schreeuwde terug met een nat en verschrikkelijk gezicht. Toen belde ik Harris.

Ik kom eraan, zei hij.

Nee, zei ik, want het zat me niet helemaal lekker. Maar het was te laat en hij had al opgehangen en was onderweg dus ik had mijn zin gekregen en nu kon ik huilen tot hij er was.

Ik raakte in paniek. Een schreeuw groeide stil in mijn keel – ik werd plotseling gek van de gedachte dat ik Harris onder geen voorwaarde mocht zien.

Ik zette Jimmy weer in zijn wagen, pakte mijn sleutels en ver-trok, zette het parasolletje in zo'n stand dat ik zijn gezicht niet kon zien. Hou je kop, fluisterde ik toen hij maar bleef brullen – omdat Harris hier binnen tien minuten zou zijn en het lawaai ons zeker zou verraden.

We gaan op avontuur, ventje, zei ik vrolijk, een blokje om. Ik probeerde zijn matrozenhoedje op te zetten met een elastiek onder zijn kin maar hij bleef worstelen en het afduwen en dus gaf ik en slotte toe en stopte het in de babytas bij de vochtige doekjes en de Pampers.

Zijn voorhoofdje was bezweet van het vele huilen. Tranen en zweet drupten in zijn haar. Het had geen zin het weg te vegen want er zou alleen maar meer komen.

Hij schreeuwde nog een tijdje door en viel toen midden in een brul in slaap. Toen de stilte in mijn dankbare oren brandde, voelde ik dat ik ontspande en dat ik weer normaal kon denken. Ik zag in hoe dwaas en stom ik was geweest om het zo op een lopen te zetten. Waar was ik bang voor? Wat zou Harris wel niet denken, als hij me te hulp schoot en niemand thuis trof?

Ik zei iets tegen mezelf – ik weet niet wat – en draaide om en ging terug. Het was niet ver. We waren maar tot het kruispunt gekomen aan het einde van Lumley Row. Ik wist dat hij er zou zijn en hij stond inderdaad met zijn handen in zijn zakken te wachten op de stoep, dramatisch en verwachtingsvol glimlachend in zichzelf, alsof hij wist dat we net naar buiten waren gegaan en zouden terugkomen. Ik legde een vinger tegen mijn lippen om aan te geven dat Jimmy sliep. Hij werd zelfs niet wakker van het gehobbel de stoep op.

Paniek is over, fluisterde ik met een lachje toen we in de gang kwamen, sorry dat ik je gebeld heb. Je kunt nu wel naar huis gaan.

Zonder erbij te denken streelde ik over Jimmy's hoofd. Zijn gezichtje lag in het kussen gedrukt en hij leek te zuchten. Hij voelde heet aan onder mijn aanraking, maar mijn handen waren ongewoon koud en bibberig.

Alles in orde met hem? Harris legde een hand op mijn schouder en boog zich stijfjes over de kinderwagen.

Hij heeft zichzelf in het zweet gebruld, zei ik als zo'n opgewekt moedertje dat je in het park ziet, maar daar gaat hij niet dood aan, hoor.

Harris wil niet weggaan.

Hij zet een kop thee voor me en brengt hem in de woonkamer. Ik nip er dankbaar van, ook al is de thee te slap en lauw en smaakt hij naar de ketel. Ik vraag me af of hij het water wel heeft laten koken.

We laten Jimmy in de gang slapen. Baby's kunnen overal slapen, dat weet iedereen. Het maakt niet uit wat er om hen heen gebeurt. Als ze eenmaal zijn vertrokken, zijn ze ook echt vertrokken, god zijdank.

Ik bedank Harris toch voor de thee en voel dat mijn ogen dicht vallen.

Slaap jij maar, zegt hij met rustige en vriendelijke stem, ik blijf wel hier zitten. Ik haal hem er wel uit als hij wakker wordt.

Ik hoor dat hij zijn tabaksdoos openknipt om een sigaret te rollen.

Rol er eentje voor mij, zeg ik.

Nee, zegt hij, jij moet rusten – en ik geef toe, zo opgelucht dat er iemand voor me zorgt en me zegt wat ik moet doen. Toch is er ook iets heimelijks – een bezorgdheid die tussen mijn oren zoemt en even sta ik op het punt iets te denken maar dan doe ik dat toch niet. Soms moet je weerstand bieden aan je gedachten anders komt de wereld tot stilstand. Het is een teken van volwassenheid.

Ik vraag me af of ik met hem naar de dokter moet, zeg ik, geeuwend om de tranen terug te dringen die in mijn ogen springen.

Waarom? vraagt Harris me – en ik merk dat ik niet weet waarom.

Gewoon, zeg ik, en probeer er de meest voor de hand liggende woorden uit te krijgen, het is gewoon zo'n rotdag geweest.

Voor jou?

Voor ons alletwee.

Hij is een gezonde baby, zegt Harris, alle baby's huilen. Dat doen baby's nu eenmaal.

En ik denk dat hij wel gelijk zal hebben, het is waar, Jimmy is een gezonde baby, hij is in orde en normaal. In heel zijn leven is hij maar één keer een beetje verkouden geweest.

Ik word even later wakker en het is kil in de kamer want de zon is weg, net als Harris. De radio staat aan, heel zachtjes in de keuken – voorzichtige stemmen leggen iets uit. Hij moet hem voor me hebben laten aanstaan.

Ik blijf nog even liggen genieten van het geruststellende gebrom van de stemmen, dan schiet alles me weer te binnen en spring ik op om naar Jimmy te gaan kijken, blij dat hij zo lang geslapen heeft. De gang is donker en koel en ik buig de parasol met het golvende roesje opzij en zie zijn kleine vorm onder de dekens. Hij ligt nog steeds in dezelfde positie, zijn hoofd naar één kant gedraaid, weg van me.

Zoals ik hem had achtergelaten.

En dan schiet het bloed naar mijn gezicht, klopt de paniek achter mijn ogen, omdat ik weet hoe Jimmy slaapt en dat is niet zo. Er ontbreekt iets of er is iets verschrikkelijk misgegaan – wat is er, Jimmy? – en nu steek ik een hand uit om zijn gezichtje te voelen. Zijn erg witte, trieste gezichtje. Zijn gezichtje dat niet heeft bewogen.

Ik duw tegen de mollige lipjes met mijn duim, voel hoe traag ze zijn en niet reageren op mijn aanraking – en hoe zijn hoofd in slaap blijft en niet beweegt. Ik trek aan zijn schoudertje, sla mijn hand rond hem om hem op te tillen, maar zijn gewicht trekt aan me door de stille lucht, er is geen beweging, geen snelle zucht, geen plotseling bewegen van armen en benen. De ogen van mijn baby blijven dicht, zijn mondje staat een beetje open. Er ligt wat braaksel op de deken waar zijn hoofdje heeft gelegen.

Je denkt dat dit soort dingen niet kan gebeuren, dat het gewone leven veilig rond je zal blijven hangen omdat jíj het bent, en dat je niet één van die had-ik-maar-mensen zal worden over wie je leest dat ze hun kind hebben verloren.

Ik probeer niet te vallen en gooi de voordeur open en roep om hulp, dan pak ik Jimmy op die nu in zijn dekentje bungelt en draag hem naar de telefoon, draai het alarmnummer en de hele tijd praat ik tegen hem. Het komt in orde, lieverd, het komt in orde, Jimmy – het lijkt wel van niet, maar zo meteen...

Je staat ervan te kijken hoe snel je verbonden wordt. Snelle lijst vragen van de vrouw aan de telefoon, maar ik begrijp ze niet, ik bibber en huil te veel.

Gary wordt gebeld, de ambulance komt eraan.

Ik heb een absoluut vertrouwen, weet zeker dat ze in staat zullen zijn om Jimmy weer tot leven te wekken met hun blauwe zwaailichten en medicijnen en witte jassen, dus waarom zit ik dan zo te huilen boven zijn kleine lijfje, smeek hem te wachten, maar hij luistert niet?

Hoe weet ik dat? Omdat stukjes van zijn lach en geur en zacht welvende lijfje al overal zijn. Omdat zijn bleke adem, zijn schone, krullerige voorhoofd en mollige schoppende teentjes de lucht in vliegen. Zijn geest danst al weg zonder mij.

8

Het vliegveld was afgeladen. Je kon niet naar de wc gaan of een koffie halen zonder in de rij te staan, en toen bleek dat het cappuccinoapparaat kapot was.

Ik besloot mijn tas te controleren – mijn armen deden pijn en ik zweette te veel om me te concentreren en ik durfde hem eerlijk gezegd ook niet mee te nemen in het vliegtuig. Het was de nylon tas – misschien van Gary – met de sterke ritssluiting en met de vorm van een dikke worst, en ik had er een klein hangslotje aan gedaan dat ik in een winkel had gekocht. Het was moeilijk om hem af te geven en zodra ik het had gedaan wist ik dat het verkeerd was.

Hebt u deze tas zelf ingepakt?

Ja.

Hebt u hem gedurende zekere tijd uit het oog verloren?

Nee.

Heeft iemand u gevraagd iets voor hem mee te nemen?

De vrouw plakte er stickers op en schoof hem op de transportband. Mijn hart bonsde toen ik hem zag verdwijnen.

Om mezelf te kalmeren ging ik wat rondslenteren in de Duty Free Shop. Daar stonden ook rijen. De chocolaatjes stelden niks voor en waren veel te duur maar ik kwam in verleiding voor het parfum in de vorm van een roze wolk – meer vanwege de filmsterachtige matte fles dan de geur, die leek op bedorven bloemenwater. Uiteindelijk kocht ik alleen maar een gigantische hoeveelheid sigaretten, waar ik een tijd mee vooruit kon.

De vrouw die me bediende had drie lange, donkere haren op een moedervlek op haar wang. Ik vroeg me af waarom ze die niet afknipte. Als ze van mij waren zou ik staan popelen om ze met een nagelschaartje te lijf te gaan.

Mijn borsten deden pijn en prikten, en dus ging ik naar de wc voor invaliden om er iets aan te doen. Je had daar een wastafel voor jezelf, dus ik kon knijpen en wringen en aftappen zoveel als ik wilde.

Ze waren ongelooflijk heet en hard, en door het zweet had de bh er patronen op achtergelaten. Ik gaf maar een paar voedingen per dag, maar zonder iemand om te drinken wordt dat steeds meer. Ik hield ze zwaar en hard in mijn handen. Waar is hij? vroegen ze me, smekend om zijn sterke, bezige lippen en tong.

De melk liep eruit, dun en blauw, in de stalen wastafel. Grote opluchting. De wastafel lag vol met iemands haren – lange grijze. Niet te geloven dat iemand zoveel haar kon verliezen met één keer naar de wc te gaan.

De lounge was een prima plaats om klanten op te pikken – of zou dat zijn als ik eropuit was.

Her en der zaten mannen alleen, met hun ellebogen op hun aktetassen voor zich uit te staren, broek opgerimpeld onder hun ballen, zweetvlekken onder hun armen. Vrouwen en vriendinnetjes elders, gedachten bij hun pik. Gin-tonics in papieren bekertjes.

Ik zou zelf ook wel een flinke borrel willen, maar iets hield me tegen. Ik had valium gekregen maar ik was bang om afstand te doen van elk gevoel, want dat zou me op een of andere manier van hem kunnen wegvoeren.

Ik deed een pakje sigaretten open en stak er een op, klik. Ze keken allemaal naar je op het moment dat je opstak – alsof het iets betekende. De smaak was chemisch na al de gerolde peuken waar ik aan gewend was. Ik inhaleerde en keek opzij naar de strook grijs waar de vliegtuigen één voor één opstegen.

Gary was er echt kapot van. Waar ik zo van hield bij hem was zijn emotionele kant, maar toch wist ik niet dat een man zo kon huilen. Hij hield zich vast aan de meubels en bewoog zich door de flat als een oude man, verbijsterd en proberend overeind te blijven.

Ik bedacht dat mijn man nooit zo gehuild zou kunnen hebben – hoe hij, als dit ons overkomen zou zijn, stil zou blijven zitten, kapot maar zwijgzaam en gesloten. Toen herinnerde ik me dat het écht was gebeurd – met mij – maar hoe meer Gary huilde, hoe kalmer en beheerster ik werd, er groeide een bal in mijn borst en een pijn in mijn arm en schouder, als iets dat je niet tegen kunt houden.

Ik bleef maar denken aan de dag dat we Jimmy's geboorte gingen aangeven. Gary met zijn grote, blije arm om me heen, die me grapjes vertelde terwijl ik Jimmy de borst gaf in de wachtruimte, met al die pasgeboren wandelwagens overal. Je wist dat ze pasgeboren waren omdat ze er nog zo sprankelend nieuw uitzagen en hun wielen zo helderwit.

Ze gaven me een kalmerend middel en een bruin karton om in over te geven en ik ging liggen en terwijl het aan de rand wazig begon te worden wachtten we en probeerden zij uit te zoeken waaraan onze kleine Jimmy gestorven kon zijn.

De kamer was wit met een bies met circusdieren in de rondte en een doos gehavend speelgoed in de hoek. Het raam in de deur was bedekt en ze waren allemaal erg vriendelijk en zorgzaam en deden alsof het de gewoonste zaak van de wereld was om op het ene moment te liggen brullen en het volgende moment ijskoud met je gezicht naar beneden te liggen.

Alle kopjes thee stonden op een rijtje koud te worden.

Gary probeerde Harris keer op keer te bellen vanuit de telefooncel maar er werd niet opgenomen. Ik kon hem gewoon niet vertellen dat Harris langs was geweest die dag en geholpen had op Jimmy te passen terwijl ik sliep. Het feit lag als een zwarte steen op mijn hart die weigerde zich in woorden te laten omzetten. Ik besloot dat Gary het niet hoefde te weten – wat had hij eraan als hij het wist?

Ik denk dat hij is vertrokken, zei ik na een tijdje, zonder te weten waarom.

Gary keek me aan en de tranen bleven in zijn ogen staan. Waarom? Waarom denk je dat? Waarom zeg je dat, Amy?

Ik weet het niet, zei ik van ergens in mijn opgezwollen hoofd, ik weet het gewoon.

In het vliegtuig nam ik een paar van de valiumpillen die de dokter me had gegeven. Ze werkten verrassend snel en ik voelde me aangenaam normaal en suf.

Hoofdpijn? vroeg het blondje naast me. Ze bleef haar handtas maar open en dicht knippen en was tegen me gaan tetteren zodra ik zat – het type dat rondkijkt en je blik probeert te vangen en bij wie je voor zombie moet spelen om contact te vermijden.

Nee hoor, zei ik.

Er is geen lucht, zei ze. Alleen gerecycleerde, ongezond toch?

Ze deed moeite om uit het raampje te kijken naar de startbaan, maar je zag dat ze dolgraag van alles zou vragen. Haar vingers grepen de leuning waar de radioknoppen zaten. Ze had van die lange wit gelakte nagels om haar bruine kleurtje beter uit te laten komen, en geen trouwring, maar die had ik ook niet.

Het lawaai van de machines werd harder en het vliegtuig begon te bewegen. Het was schokkeriger dan ik had verwacht en het lawaai was angstaanjagend alsof er iets zou kunnen ontploffen. Ik voelde een lichte paniek maar ik kon het goed verbergen. De stewardess wees her en der op uitgangen en hield een soort neuskapje voor haar gezicht. Ze liet de bandjes zien en draaide haar hoofd naar elke kant zodat je kon zien hoe ze het aan had gedaan.

Om mezelf wat afleiding te bezorgen, pakte ik de gelamineerde kaart met veiligheidsvoorschriften die naast het kotszakje was gestoken. De tekeningen waren een lachertje. Ik dacht, wie stapt er nu in een vliegtuig met hoge hakken? En toen zag ik dat mijn vriendin er van die kleine vinnige aanhad, van het soort waarvan je zo'n gepunte dansersvoet kreeg. Ze zou ze zeker moeten uitdoen, dacht ik, als ze van zo'n opblaasbaan moest glijden.

Ik ga mijn dochter opzoeken, zei ze na een tijdje.

O, zei ik.

Ze heeft er een café met haar man. Ze is er al zeven jaar. Twee kinderen. Maakt dat ik me een oude vrouw voel.

Ze grinnikte. Ik knikte, maar gaf geen antwoord.

En jij? zei ze.

Gewoon even weg, zei ik.

In je eentje?

Ik zei niets.

Zou ik je krant even mogen inkijken?

Ik gaf hem aan haar. Ik had er nog niet naar gekeken en per slot van rekening waren ze gratis.

Het vliegtuig steeg op en ik hoorde hoe de wielen omhoogkwamen en ingetrokken werden. Ik kon het niet helpen maar ik hapte naar adem.

Vlieg je niet graag? zei ze.

Het gaat wel.

Ik zal er wel aan gewend zijn geraakt zeker, pochte ze. Alles goed?

Prima.

Weet je het zeker?

Ik zei ja en keek uit het raam waar de aarde scheef was komen te staan. Een paar rijen voor ons had een baby het op een huilen gezet.

De ochtend na Jimmy's dood, werd ik wakker met zo'n sterke behoefte hem in mijn armen te nemen, dood of levend of wat dan ook – dat ik alleen maar wist dat hij hier moest zijn, tegen mijn borst gedrukt. Het kon me niet schelen in wat voor staat hij was of dat het een verstandig plan was.

Ik zei het tegen Gary. Ik zei het hardop, ook al was hij al aan het huilen – ik denk niet dat hij naar bed was geweest. Ik wel. De kalmerende middelen hadden gewerkt, hoewel het ontwaken in het ruwe pijnlijke weten erger was dan geen slaap. Gary liep snikkend door de flat, wist zich geen raad met zichzelf. Geen van beiden kregen we ons lijf op een stoel, zoals een normaal mens zou doen.

Ik ga ernaartoe, zei ik, ik doe het gewoon, ik ga ernaartoe, de rest kan me niet schelen.

Hij keek me aan.

Hij is van ons, bracht ik hem voorzichtig in herinnering, ik kan hem niet gewoon daar laten.

Hij deed zijn mond open om te spreken maar wat kon hij zeggen? Hij deed hem weer dicht. Als er woorden waren uitgekomen – en ik zou het niet kunnen zeggen – hadden ze te maken met het zinloze, met de behoefte dat ik bij hem zou blijven. Maar het kon hem eigenlijk niet schelen, hij wilde me eigenlijk liever niet voortdurend zien, eraan herinnerd worden.

Ik begreep dat we nu verschillende wegen konden gaan in het leven.

Toen we het ziekenhuis verlaten hadden de vorige avond, en we ons beleefd hadden verwijderd van zijn kleine lijfje, had het de enige juiste handeling geleken. Onze baby kwam niet meer naar huis en dat was dat. Er was niets tastbaars voor ons om naartoe te gaan en weldra zou het verlies ons tot vreemden maken.

Maar nu kon ik het idee niet verdragen dat hij een wit laken over zijn gezichtje had.

Ik wil hem hebben, zei ik tegen Gary, en het kwam er hard en verontrustend uit.

Hij greep naar me, hield me vast, probeerde me te laten zwijgen.

Nee, zei ik, ik meen het. Ik wil hem echt hebben.

Ik had gelijk. Ze waren echt erg aardig, vol begrip.

Je bent in shock, zeiden ze en iemand legde meteen een arm om me heen. Het was een arm met lange, schone haartjes die allemaal in dezelfde richting lagen en hij rook naar goede manieren en zeep. Ik wilde ertegen vechten, maar ik deed het niet. Het was te aangenaam om geknuffeld te worden door iemand die ik nog nooit had gezien, het tegenovergestelde van wat ik mijn hele leven had moeten verdragen.

Bedankt, zei ik, de tranen sprongen in mijn ogen.

De arm voerde me naar een andere kamer, een ruimte met licht-roze bloemen en een paar tijdschriften. Ik ging zitten, keek naar de muur en verbood mijn gedachten naar gebieden te gaan die me overstuur zouden maken. Ik had al zo lang niets gegeten dat ik mijn eigen lichaamssappen proefde, alsof ik van binnenuit aan het oplossen was.

Na een tijdje kwamen ze me halen en ik werd naar de kamer gebracht waar hij was, waar hij die nacht geslapen had. Het was een koude kamer. Wat voelde ik me een slechte moeder.

Kleine Jimmy. Ik voelde me verschrikkelijk dat ik tot de ochtend gewacht had om tot bezinning te komen, dat mijn stomheid hem een hele, eenzame nacht had gekost. Ik dacht aan de minuten en de uren en het donker om hem heen. Even vond ik het erg dat ik er niet aan had gedacht iets mee te nemen om hem te verschonen, of een speeltje. Toen herinnerde ik het me weer. Ik voelde een kramp in mijn ingewanden als menstruatiepijn.

Is er iemand bij hem gebleven? vroeg ik hun. Ik hoop dat hij niet alleen is gelaten?

Er zijn hier altijd veel mensen, zeiden ze.

Ik dacht dat hij bedekt zou zijn, maar tot mijn opluchting zag je zijn gezichtje en het was net hetzelfde maar veel minder levendig. Het was nog steeds precies een engeltje, mijn baby, met zijn blauwe oogleden en witte voorhoofd en dat was verdacht, want in het echte leven zijn ze nooit zo rustig en stil. Meteen begonnen mijn borsten te prikken en werden mijn oksels hard van de opgeslagen melk, gewoon door Jimmy's gezicht te zien, door zijn aanblik. Ik probeerde mijn hunkerende verlangen naar hem te beheersen. Er begon melk te lekken, maar dat gaf niet, ik was zo verstandig geweest om inlegpads te gebruiken.

Ik wil hem alleen maar even vasthouden, zei ik. Kan dat?

Ik deed zo mijn best om beleefd en redelijk over te komen en niets van mijn hunkering te laten zien. Het leek belangrijk hun te laten weten dat ik wist wie de baas was. Ik was zo bang dat ze moeilijk zouden doen – zouden proberen me bij hem vandaan te houden of me iets laten ondertekenen om afstand van hem te doen of zoiets.

Ze vroegen of ik er iemand bij wilde hebben.

Bedankt, zei ik, dat is heel vriendelijk. Maar ik denk dat ik liever alleen ben.

Ik veegde discreet de tranen van mijn gezicht.

Neem de tijd, zeiden ze. En deden de deur dicht.

Mijn tas was een van de eerste die eraan kwam en ik baande me een weg door een massa mensen die allemaal sigaretten stonden op te steken en haalde hem eraf. Hij voelde nog hetzelfde aan en het hangslotje was nog dicht.

Prettige vakantie, zei de vrouw uit het vliegtuig, die ineens vlak achter me stond. Ze had er ook een opgestoken, net als de anderen zodra ze in de terminal was en ze had een lichtgewicht jasje aan, waardoor ze er anders uitzag.

Het beste, zei ze alsof we oude vrienden waren en ik bedankte haar en was verbaasd dat mijn armen zo beefden. Misschien omdat ik zo dicht bij Jimmy was.

Het was heet buiten – het dikke blauw van de lucht en de luie middagstilte en de petroleumgeur sloegen je in je gezicht. Overal roze schriele bloemen in potten met droge aarde, en uithangborden. Mannen in colberts met sigarettenrokende robotachtige gezichten hielden een karton op waarop iets geschreven stond.

Te midden van het stof vond ik een taxi en gaf de man een papiertje waar de naam van de plaats op stond vanwaaruit de veerboot vertrok. Ik wist niet eens wat ja en nee was in het Grieks.

Engels? vroeg hij. Uit Londen? Jij kennen Spice Girls?

Ik stort me op hem, adem hem in, maar hij ruikt niet goed – hij ruikt onecht, te schoon, naar de zeep van iemand anders. Een kat of hond zou het ervan aflikken en het weer goed laten ruiken maar ik ben maar een serveerster en geprogrammeerd op hygiëne en goede manieren.

Toch is hij dezelfde baby – dezelfde bruinachtige korstjes op zijn hoofdje, dezelfde nageltjes die geknipt zouden moeten worden (hij wilde me niet in de buurt laten komen met de schaar), dezelfde uitdrukking op zijn gezichtje, alleen zijn zijn ogen zo verschrikkelijk gesloten. Ik durf ze niet open te doen, hoewel ik er gek van word dat ik die heldere babyogen nooit meer zal zien.

Hij heeft het slaappakje aan dat Gary hem moet hebben gegeven, wit met op de borst twee geborduurde ballonnen – een roze en een groene, de touwtjes kruisen elkaar. Het is niet wat ik zou hebben gekozen en het wordt te krap bij de voetjes. Aan de zachte bult en plooi kan ik zien dat hij een luier aanheeft, ik vang een vage geur op en ik vraag me af of hij wel verschoond is.

Hij is niet zo stijf als ik had gedacht, maar hij voelt toch niet goed aan, een beetje hobbelig.

Ik hou hem zo stevig vast, kus zijn hoofdje, de brug van zijn neus waar de huid ooit zo warm en zeker was. Ik huil, dat is waar, maar zonder drama of vertoon of lawaai. Ik wil alleen maar wat extra tijd, niet veel, gewoon een redelijke tijdsspanne – genoeg om het gevoel van liefde voor mijn kind nog niet te verliezen. Ik zou hem weer in me willen duwen. Mijn lichaam zou hem absorberen, hem binnenhouden, zijn natuurlijke rustplaats bieden.

Ik kan de gedachte niet verdragen dat hij de aarde in moet, in een eenzaam graf.

Er zitten veel Duitsers op de veerboot, bier te drinken en te lachen in hun regenjacks. Ik haat hun rosse haar en hun roze verbrande huid en hun wimperloze oogleden.

De tijd gaat voorbij, glijdt de namiddag in. Ik blijf op het dek staan om te kijken – hou mijn tas bij me, in mijn armen, hij is niet zo zwaar. Ze praten en roepen en lachen en spugen allemaal. Ik hou afstand, kijk naar de horizon waar het eiland langzaam in zicht komt als een ogentest: een plotselinge richel van blauw die uit de zee opsteekt.

Daar kom ik vandaan, fluister ik tegen mijn tas.

De verpleegsters die voor de doden zorgen, dragen schone, witte klompen. Ze zijn zo vriendelijk, hebben zoveel respect voor mijn privacy, dat ze het allemaal gemakkelijk voor me maken.

Ik heb alleen een kunststof boodschappentas bij me, maar hij is een kleine baby, altijd geweest – hij stond van het begin af aan laag op die babykaart van de kraamkliniek. Ik wikkel hem voorzichtig in het laken net zoals toen hij pas was geboren. Ik bedek zijn gezicht niet graag. Hij zal niet helemaal plat kunnen liggen op de bodem van de boodschappentas, dus zet ik hem een beetje overeind. Ik hou de tas tegen mijn borst gedrukt – mensen doen dat vaak zo wanneer ze haast hebben of boodschappen moeten dragen of zo.

Het is niet verkeerd, alleen maar onverwacht. Hoe had ik het kúnnen verwachten? Het leven bestaat voor de helft uit omgaan met het onverwachte – de onvriendelijke kant waar niemand anders je mee kan helpen.

Ik zweet en ben misselijk en panisch dat ik iemand zal tegenkomen in de gang. Een verpleegster loopt me voorbij, maar ze kijkt op haar horloge en ik kijk naar de deuren alsof ik de weg weet.

Ik weet de weg ook. Een nieuw weten is over me gekomen. Een

taxi brengt ons naar huis – de fooi die ik geef is zo hoog dat het bijna niet grappig meer is.

En mijn voeten raakten deze bodem niet voor de eerste keer.

Wuivende palmbomen, witte muren, blauwe luiken en in de hoogte een kasteel als een fort. Het eiland van Afrodite, had Harris gezegd, ze kwam hier omdat het op weg naar nergens lag.

Afrodite?

Nee, Jody. Afrodite werd uit het schuim geboren – je weet wel, zoals op dat bekende schilderij? Ze kwam gewoon langs op haar schelp en wandelde toen de zee uit. Een prachtig beeld, vind je niet?

Beelden interesseerden me niet.

Zoals mijn moeder erin is gelopen? zei ik en ik kreeg zo'n schuine blik van hem.

Stof werd van de kade geblazen – de Duitsers troepten daar samen met hun rugzakken en kaarten. Discussieerden over wat ze zouden doen.

Ik wist wat ik zou doen. Ik kon me niet herinneren wanneer ik voor het laatst iets gegeten had, dus ging ik meteen naar de blauw geschilderde stoelen en gedekte tafels en ging zitten.

Ik had het te heet in mijn legging en shirt maar de hitte was aangenaam en bijna weldadig en verwarmde mijn beenderen. Ik voelde me plotseling goed, had de zaak onder controle – nu zou niets meer echt moeilijk zijn. In een ander land was het moeilijker om Jimmy te missen, maar mijn verdriet had een deel van me uitgeschakeld en ik vond het beter zo.

Ik keek om me heen, voelde de zon op mijn armen, het ongewone gevoel van een zonnebril op mijn neus, het briesje. Er was het geluid van insecten in de bosjes en een paar kinderen waren een balletje aan het trappen. Het jongste kind was een jongetje, met zwart weerbarstig haar en grote voortanden. Ik voelde tranen in mijn ogen komen maar ik drong ze terug, concentreerde me op een lunch.

De kunststof tafellakens waren vastgemaakt aan de tafels en op een bordje stond in het Engels 'Don't touch the lamps'. Raar dat alles in het Engels was. Je moest voortdurend wespen wegslaan.

Op het plein verderop luidde een belletje. Het zag er allemaal erg ansichtkaarterig uit, met al dat blauw en die schaduwen. Er hing reclame voor Coca-Cola en Seven-Up.

Ik zette de tas voorzichtig onder tafel tussen mijn voeten en bekeek het menu. Een foto van een pizza en nog eentje van gebakken vis met friet. Ik dacht dat ik me misschien verder van de veerboot had moeten verwijderen, maar het was nu te laat, de man had me gezien en mijn maag was hol van de honger.

Toen hij naar me toe kwam, glimlachte ik en zei, Grieks eten, alstublieft, en hij knipoogde en haalde het notitieblokje uit zijn zak.

Ik zag de veerboot vertrekken met een lage fluittoon en een wolkje rook en terwijl hij snel afstand nam, bracht de man een groot, beschadigd bord met tomaten en komkommer met olie en wat hard brood en geelachtige wijn. De tomaten waren de beste die ik ooit geproefd had, de smaak bleef na het doorslikken aan je gehemelte plakken.

Ik at langzaam. De wijn smaakte naar nagellakremover maar daar wende je aan en het maakte mijn hoofd leeg en warm in de zon. Tijdens het eten zorgde ik ervoor nergens aan te denken – niet aan Gary of Harris of hoe alleen ik was of wat ik moest doen. Ik had een paar drachmes maar ik zou een travellercheque moeten verzilveren.

Uit Londen? vroeg de man toen ik hem betaalde, en ik zei nee en vroeg hem waar Diakofti was.

Hij wees vaag in de richting van de kerk. Andere kant, zei hij, ver weg. Jij wilt douche nemen?

Nee, bedankt, zei ik. Een taxi.

Hij haalde zijn schouders op. Mike's Bikes, zei hij.

Mike's Bikes?

Hij wees naar een gebouw waar 'OTE' op stond met grote letters. Toen telde hij zijn geld en ging weg.

Het werd hoog tijd om naar Diakofti te gaan. Ik maakte me zorgen dat Jimmy zou bederven in de hitte.

Ik liep op het bord 'OTE' af.

Mike's Bikes was een man van een jaar of dertig die behoorlijk Engels sprak.

Hij leek niet verbaasd me te zien. Hij verzilverde mijn cheque voor me en ik stopte de drachmes zorgvuldig weg in mijn tas en bedacht dat ik later wel de tijd zou nemen om aan het geld te wennen. Ik had nog nooit buitenlands geld in mijn handen gehad. Het voelde verrassend onecht aan.

Vind je het erg als ik zeg dat je een sexy dame bent? zei hij, en ik wist dat hij naar mijn haar keek – hoe piekerig en ongewassen ook – omdat je hier niet zoveel blondjes zag.

Ik keek naar zijn Levi's en jack en gebruinde donkere huid en zwarte haren die overal groeiden, zelfs op zijn keel en uit zijn oren, en ik liet hem op de kaart zien waar ik naartoe wilde.

Diakofti? vroeg hij, en opende zijn handen van verbazing.

Ja. Diakofti. Hoe kom ik daar?

Hij fronste zijn wenkbrauwen en tikte op een geërgerde manier op de kaart met zijn vinger.

Niet naar Diakofti gaan, zei hij. Waarom? Er is niets. Blijf hier en we gaan naar een nachtclub-bar-disco en maken plezier, veel drinken en pizza eten.

Bedankt, zei ik, maar ik moet naar Diakofti. Vandaag.

Jij logeert daar? vroeg hij me twijfelend.

Ik knikte.

Hij zuchtte, haalde zijn schouders op. Oké, sexy dame, zei hij, ik zal je erheen brengen. In prachtige truck.

Er stond een vrachtwagen. De laadbak stond vol kratten met fruit en twee kippen scharrelden rond in het vuil bij de wielen. Hij schopte naar de kippen en ze stoven weg maar kwamen meteen weer terug om meer.

Ik breng je, zei hij. Is oké. Overal waar je wilt.

Het zou mij een zorg zijn.

Hij gebaarde dat hij het fruit en de groenten in de schaduw moest zetten. Hij bracht me een glas van iets en ik dronk het op. Het leek op die nagellakremover, maar dan roder.

Ik wilde betalen, maar hij pakte mijn arm.

Wij zijn goede vrienden, zei hij. We gaan dansen en een hamburger eten.

Ben je op vakantie? vroeg hij toen ik naast hem klom.

Ik ben hier geboren, zei ik. Het was de eerste keer dat ik die woorden hardop uitsprak op het eiland en ze voelden aan als de grootste waarheid en het meest spectaculaire dat ik iemand ooit verteld had.

Hij tilde zijn handen van het stuur van verbazing en de vrachtwagen slingerde even over de onverharde weg.

Heb je Griekse familie? vroeg hij. Broers? Vader?

Nee, ik schudde mijn hoofd, Engelse moeder, maar ze is dood.

De tas begint te stinken – niet vreemd met die hitte en zo. Nadat ik het ziekenhuis had verlaten en thuis was gekomen, gunde ik mezelf maar een half uur de tijd om een paar dingen te pakken en dat paspoort dat Harris me godzijdank had bezorgd. Ik hijgde van de haastige inspanning. Ik kon het risico niet nemen dat Gary terugkwam van waar hij ook mocht zijn.

Ik kleedde Jimmy uit en inderdaad was zijn luier – een gewone witte van het ziekenhuis, veel te klein – een beetje vuil. Iemand had hem te strak vastgemaakt – misschien in de haast toen ze wisten dat ik ging komen, en er waren rode plekken op zijn lichte babyhuidje.

Ik praatte sussend tegen hem terwijl ik hem schoonmaakte en een nieuwe Pamper aandeed, en bedacht dat dit de laatste keer was dat ik dat deed – het bandje aandrukken, mooi glad en niet te strak. Hij leek te glimlachen, maar ik wilde liever niet dat zijn lieve mondje openging. Hij was nog steeds mijn baby, maar hij was ook iets anders en ik wist niet wat dat andere was en of ik dat wel zo leuk vond.

Ik pakte hem weer in en stopte hem tussen mijn spullen in het midden van de weekendtas, waar mijn kleren hem zouden beschermen tegen stoten. Er stond een schoteltje met wat potpourri van gedroogde rozenblaadjes boven de wc en ik kreeg ineens het idee om die in de tas te mikken. Ze waren een beetje stoffig, maar ze roken zoet en antiek en zouden misschien helpen om het allemaal wat aangenamer te maken.

Ik was zo verstandig om de valium in te nemen die de dokter me had gegeven. Ik had geen pil overgeslagen. Je stond ervan te kijken hoe soepel je je erdoor voelde, en hoe aangenaam rustig je hoofd werd. Ik had nog nooit zoiets genomen. Zonder had ik het nooit gered.

Het eiland waar ik was geboren deed Engeland er donker en miserabel en eng uitzien. Ik bedacht hoe vaak ik dat beperkte uitzicht en die harde drukke wegen gewoon had gevonden. Nu stond ik open voor de hemel waar ik vandaan was gekomen – waaraan ik was ontsprongen, zo je wilt, als Afrodite in het schilderij: alles heerlijk en prachtig als in de beste verhalen.

De kleuren waren helder en krachtig zoals in een goede droom en de hemel zat vol kleur en de hitte streelde je gezicht en verzachtte je hart. Ik begreep waarom Jody hiernaartoe was gekomen. Ik proefde de zware geur en volle kleur van de bloemen en ik voelde me levend en zorgeloos en bijna gelukkig. Ik wist ook dat ik er goed aan had gedaan Jimmy hierheen te brengen.

Wat zouden ze gedaan hebben in het ziekenhuis toen ze merkten dat hij was verdwenen? Ik stelde me voor dat Gary ernaartoe was gesneld, stelde me alle mogelijke reacties voor en voelde me echt rot als ik aan de pijn dacht die dit hem zou doen – pijn die hij niet verdiende, o nee.

Ik dacht veel aan Gary. Ik hield nog van hem, maar de plek waar ik die liefde had opgeborgen was momenteel buiten bereik. Ik wilde die ook niet bereiken. Het zou me kapot hebben gemaakt. Door Jimmy mee te nemen, had ik het kleine beetje Gary dat ik wilde.

Als iemand iets over de wereld wist, zouden er geen zorgen bestaan. Dat zou zelfs Gary moeten weten. Hij is bij zijn mama, zou hij zeggen, er kan hem niets overkomen.

Na een paar kilometer legde Mike's Bikes zijn hand op mijn dij.

Hou je van ouzo? vroeg hij met een stomme grijns op zijn gezicht.

Geen idee, zei ik, nooit gedronken.

Hij smakte met zijn lippen: is best Grieks drankje, beste van de wereld.

Ik verschoof mijn benen om zijn hand af te schudden. Ik wilde niet het risico lopen hem te beledigen, maar we waren steil omhoog aan het gaan en ik wilde dat hij zich op de weg concentreerde. Ik en Jimmy op de bodem van een ravijn hoorde niet bij mijn plan. Er stonden verbazingwekkend veel elektriciteitspalen, trossen kabels op sommige plekken – ik begreep het niet. Het leek geen plek voor zoveel elektriciteit.

Het zand op de weg was haast rood en er vloog de hele tijd stof op. Aan onze rechterkant was er een steile klif loodrecht naar zee. Ik kon er niet naar kijken zonder me duizelig te voelen, maar het was zo'n prachtig uitzicht. Ik wilde dat ik een camera had. De zon zakte in de zee die volmaakt gestreept was: turkoois, donkerblauw en zwart.

Jij dus goed Grieks meisje? zei Mike's Bikes weer.

Nou, niet echt, zei ik, maar ik had geen zin om het allemaal uit te leggen.

Griekse vrouw en moeder is het beste, zei hij, knikkend in zichzelf. In Griekenland weet je waar je vandaan komt. In Engeland ga je dood en word je vergeten.

Ik glimlachte, maar innerlijk was ik boos. Ik wilde hem zeggen, niemand zal mijn baby vergeten.

Ik hou van Griekenland, zei ik, het is mooi – en daarna wilde ik dat ik het niet gezegd had want hij legde zijn hand weer op mijn knie.

De tas begon erg te ruiken, maar Mike's Bikes leek het niet te hebben gemerkt. Hij dacht alleen maar aan zijn pik zoals alle mannen. Ik ontspande me en negeerde hem. Ik had al mijn kracht nodig om een slaapplaats te vinden en een plaats om mijn kind te begraven.

Daar is Diakofti, zei hij plotseling, hoewel er naar mijn gevoel niets leek veranderd.

Ik boog voorover en keek. We daalden nu nog steiler af, de banden trilden over nog ruwere grond dan daarnet. Steentjes sprongen weg. In een bocht had iemand een bos bloemen achtergelaten in een pot aan de kant van de weg. Ergens riep een vogel, een verveeld, vermoeid kreetje.

Ik zuchtte zonder te weten waarom.

Veel slechte dingen hier, zei Mike's Bikes dramatisch en zijn hand kroop als een spin omhoog over mijn been.

Wat voor slechte dingen? vroeg ik.

Hij schokschouderde, bewoog zijn duim op en neer over mijn dij. Slechte moorden, zei hij, en zo...

Vertel eens, zei ik, en liet zijn hand daar liggen.

Hij trok een gekweld gezicht alsof de woorden pijn deden bij het uitspreken en zei, baby gestorven, gat in zijn kop, weet je wel?

Wat voor baby? zei ik.

Elektriciteit liep langs mijn ruggenwervel omhoog en hij tuitte zijn lippen: een klein kind. Beter vergeten, weet je wel?

Ik zei niets. Ik was dat 'weet je wel' kotsbeu, daar ik eigenlijk niks wist – in feite begon hij me behoorlijk op mijn zenuwen te werken. Ik keek naar het land, vol schaduwen, dat onder ons lag.

Hou jij van baby's? zei Mike's Bikes even later en likte zijn lippen.

Niet bijzonder, zei ik en ik wist dat hij het niet zou begrijpen en het kon me geen reet schelen.

Zo meteen, dacht ik, zo meteen zal ik iets zien wat ik herken. Maar er waren alleen maar meer elektriciteitspalen en struiken en het sissen werd harder.

Toen kwamen we een scherpe hoek om en zag je de gladde vorm van de baai, het einde van de zon. Strepen roze boven het vlakke water, een paar boten ver op zee. En vooraan een streep zilverachtig zand als in een reisbrochure, die plotseling en hard in mijn hart beet.

Ik ben hier geweest! zei ik tegen Mike's Bikes – ik kon er niets aan doen, het kwam er gewoon uit – ik ken dat strand!

Maar hij luisterde helemaal niet – hij had zijn hand tussen mijn dijen gestoken en die kroop omhoog op zoek naar de rits.

In de blindentuin verdeelde ik mezelf in stukjes – eentje voor jou, eentje voor jou – en dat was gemakkelijk zat als ik eenmaal genoeg moed had verzameld om te beginnen. Wie maakte uit of mijn lijf van mij was of niet? Ten slotte komt het allemaal weer bij je terug: ledematen, haar, een glimlach en een straaltje zaad. Een kans om de dood uit te stellen.

Ik had uiteindelijk al mijn geld opgenomen, een dik pak in mijn hand. Ik dacht dat het machtig opwindend zou aanvoelen, geweldig, maar het viel eigenlijk nogal tegen.

Mike's Bikes leek te denken dat ik zijn vriendinnetje zou worden.
Ik ga een ouzo met je drinken, zei hij enthousiast. Morgen?
Ik schudde mijn hoofd.
Overmorgen? zei hij.
Niet morgen, antwoordde ik, niet overmorgen. Nooit.
Een andere keer dan?
Nee, zei ik. Sorry knul.
Ik had Mike's Bikes me kunnen laten neuken, natuurlijk had ik dat gekund, of ik had kunnen bukken om hem te pijpen. Dat dacht hij dat er zou gebeuren – ja, baby, zei hij aan één stuk door terwijl hij over mijn legging wreef, ga door baby, ja, ja.

Ik heb maar één keer seks gehad met een man en me niet gebruikt gevoeld.

Hij was al bijna aan het kreunen toen we stopten in een kleine inham van bomen waar het in de schaduwen om ons heen zoemde en gonsde. Hij schoof zijn handen in mijn shirt, voelde mijn tieten in zijn handen liggen, hard en vol melk. Ik was niet van plan hem dat uit te leggen.

Voor ons stak een scherp brok graniet uit de grond.

Een gedenkteken voor de oorlog, legde hij uit – half gids, half seksmaniak – terwijl hij mijn slip naar beneden trok. Ik hield de hele tijd mijn handen op de tas en betreurde het dat de valium me misschien te meegaand had gemaakt. Ten slotte begon ik te lachen.

Wacht, zei ik, ik moet dringend.

Hij fronste zijn wenkbrauwen en greep mijn polsen.

Plassen, zei ik en wees op mijn kruis. Volle blaas.

Ik stapte uit de vrachtwagen, nam Jimmy mee, en ik zag dat Mike's Bike achterover zakte en zijn broek begon uit te doen.

Rond het grote blok oorlogsgraniet lag een kring van veel kleinere brokken ter grootte van kanonskogels. Ik pakte een zwaar exemplaar en liep terug naar de truck.

Hij was in orde toen ik hem achterliet – hevig bloedend en in de war en vloekend en tierend in zijn moedertaal. Al dat linke Engels van hem was verdwenen en zijn broek en onderbroek waren uit en de bruine worm van zijn pik hing stom tussen zijn benen.

Ik had ervoor gezorgd niet zoveel schade aan te richten dat hij naar de politie zou rennen, maar een paar hersencellen minder zou niet veel verschil uitmaken.

Er zaten spetters van zijn bloed op mijn shirt, maar er waren andere dingen om me druk over te maken. Het begon te schemeren en het zou weldra avond zijn. Mijn sandalen schopten stof op toen ik naar beneden naar Diakofti liep. Ik vroeg me af hoe lang zijn truck daar geparkeerd zou blijven staan. Hij kon me niks maken, maar toch vroeg ik me af hoeveel tijd ik had.

Er stonden olijfbomen aan weerszijden van het pad en ook een paar stronken met papieren zakken eroverheen. Ik vroeg me af waarom. Iemand had een stoel – blauw geschilderd als op een kindertekening – ondersteboven in een boom gezet. Waarom kwam dat me bekend voor en draaide mijn maag zich om? Toen nam het pad een bocht en zag ik het vissershutje.

En dat bracht ook iets in beweging in mijn binnenste – als een hondenstaart, kwispelend, dan weer stil, dan weer kwispelend.

Het was een laag wit gebouw met een schuin afdak gemaakt van bamboe en andere twijgen. Een paar tafels en stoelen. Opgestapelde rode en blauwe bierkratten. Een gehavende motor leunde tegen een muur – een zwarte band, een blauwe gasfles.

De grond was nat alsof er net gesproeid was. Er was geen geluid, geen teken van leven. Maar ik wist zonder het te moeten vragen dat dit mijn oude thuis was.

Ik stond er een paar minuten en toen kwam een oude man naar buiten, één vinger in zijn neus gestoken. Hij stopte toen hij me zag, liet zijn vinger waar hij was, trok hem er toen uit en veegde hem af aan zijn broek. Hij moest net wakker zijn geworden want zijn bretels hingen ter hoogte van zijn knieën. Hij had zwarte kaplaarzen aan en een bruin uitgezakt vest, zelfs in deze hitte.

Hij keek me aan en er viel niets van zijn gezicht af te lezen.

Hebt u een kamer te huur? vroeg ik.

Hij zei niets.

Kamer te huur? zei ik langzaam. Ik zette de tas neer naast mijn voeten. Mijn schouders deden pijn.

Hij knikte alsof hij het begreep, maar bleef daar maar staan.

Kan ik ergens slapen? zei ik.

Hij ontspande en lachte plotseling – zwart gat in plaats van tanden.

Toen stapte Gary uit de schaduw achter hem tevoorschijn.

9

Gary sprak snel met de man. Hij sprak Grieks.

Ik liet me op een lege bierkrat vallen en trok de tas dichter bij mijn benen en alle dingen die ik nooit had begrepen klonterden ineens zo snel samen dat ik er misselijk van werd. Ik zette mijn vingers tegen mijn voorhoofd en de tranen leken er zomaar uit te stromen, ongevraagd en zonder ergens heen te kunnen.

Nu en dan keek Gary naar me, maar het was alsof iemand anders keek.

De oude man ging de tuinslang oprollen, zei toen iets tegen Gary en liep weg. Gary kwam naar me toe.

Hij leek nu op een andere manier te lopen, natuurlijker, meer ontspannen – of anders was het dezelfde manier en had ik er nooit goed naar gekeken. Ik keek hem aan en wendde mijn blik toen af, ik kon het niet verdragen. O ja, dacht ik toen ik zag dat hij andere kleren aanhad en van die versleten leren sandalen droeg met een lus voor zijn grote teen, die ik mannen in de haven ook had zien dragen.

Ook hij verkeerde in een soort shock, stikte er bijna in, dat zag ik – maar hij wist wat hij deed.

Amy, zei hij – en toen ik niets kon zeggen, bukte hij en raakte mijn haar aan en zei, het spijt me zo dat ik dit moet doen. Het is niet wat je denkt, niets is wat je denkt.

Ik duwde zijn hand van mijn hoofd omdat de tedere aanraking me pijn deed. Wat denk ik dan? vroeg ik.

Ik weet het niet – en ik zag al het verdriet van onze baby daar nog steeds zitten in zijn andere, buitenlandse ogen – ik weet niet wat je denkt, zei hij.

Ik probeerde nog iets te zeggen maar kon het niet – mijn stem was weggespoeld door de recente gebeurtenissen – weggevloeid uit waar hij normaal vandaan kwam.

Kom hier, zei hij hoewel we al zo dichtbij waren dat het prikte.

Ik deed niets maar hij hurkte en omringde me met de vertrouwde grootheid van zijn armen. Het is in orde, zei hij, het is in orde, ik ben het, ik ben hier. Niet huilen.

Ik huilde niet. De bierkrat wiebelde een beetje toen hij me voorzichtig naar zich toe trok. Ik hoorde het geluid van kauwen en ik rook iets scherps aan hem, iets buitenlands dat ik niet herkende.

Ik duwde hem van me af na een minuut of twee.

Ik ben komen vliegen, zei hij.

Ik zag zijn grote lijf door de lucht stromen en staarde zonder te begrijpen naar de vorm van de woorden. Ik dacht aan Jimmy's kleine, ineen gekrulde slaapvorm op het laken van het ziekenhuis, hoe ik hem zo netjes mogelijk had ingepakt en door de gang was gevlucht – hoe het vanaf dat moment alleen nog maar hij en ik was geweest en hoe verkeerd en slecht het had aangevoeld om hem te moeten afgeven op het vliegveld.

Zo was ik er eerder dan jij, zei hij. Ik heb een klein vliegtuig van Athene genomen. Er is een vliegveld in Viaradika, nou ja – 'vliegveld' – het is eigenlijk meer een landingsbaan...

Hij zei de woorden op z'n Grieks, kauwde er eerst op tot ze veranderd en buitenlands waren. Ik zag dat het allemaal heel natuurlijk was – die kauwgom in zijn mond, dat wiegen op zijn stoffige hielen.

Waarschijnlijk keek hij naar me en hij probeerde mijn handen te pakken, maar ik wilde het niet, zo makkelijk kwam hij er niet vanaf, terwijl ik niet kon bewegen of spreken.

Hij raakte een traan aan met een vinger en zei, je wist dat er iets was, hè?

Hij stond met zijn handen in zijn zakken naar de donkere zee te kijken. Ik zat nog steeds op de krat. Alles kwam op me af en ik kon er geen vat op krijgen.

Ik begrijp dat je nu niet met me kunt praten, zei hij, dat je het niet kunt verdragen om naar me te kijken maar ik heb de hele tijd aan jouw kant gestaan. Ik heb het je zo vaak proberen te vertellen. En het is steeds mislukt, steeds. Ik hield van je. Het spijt me.

Ik dacht hierover na en begreep er geen snars van. En toen zag ik in dat het geen zin had het te proberen. Ik had altijd alleen geweten wat Harris en hij me wilden laten weten. Een verschrikkelijk verdriet rolde over me. Ik kon geen adem meer halen door het loodzware gewicht van alle gebeurtenissen.

Na een tijdje verscheen er een vrouw met opgerolde mouwen en een paar in het rond springende bruine kinderen. De vrouw was dikker dan Gary en haar rok was met een veiligheidsspeld vastgemaakt en ze droeg een grote, zware baby met bruin haar. Maar zodra ze hem op de grond zette, veranderde hij in een peuter die rende en riep en achter de schriele kippen aanging. Iedereen leek Gary te kennen. Hij trok de kinderen aan hun haar en lachte en speelde met hen. Ik wendde mijn blik af. Ik kon dat niet aanzien, zijn handen op een ander kind. De geluiden vlogen heen en weer en ik begon te begrijpen dat hij Grieks was.

Ik kon nog steeds niet met hem praten. Ik wilde niet praten over wat er in mijn tas zat.

We zaten allemaal. Hij speelde met de kinderen maar hij hield zijn ogen op mij gericht. Toen rolde hij een sigaret – ik zag hem het doen zonder erbij na te denken, alsof hij dat altijd deed – en bood me hem aan. Ik nam de sigaret aan en viste mijn aansteker uit mijn tas. Toen rolde hij er één voor zichzelf. Hij heeft nooit gerookt, zei een stemmetje in mijn hoofd. Nooit en nu wel.

Ik ben alles kwijt, dacht ik.

Na een tijdje kwam de oude man terug en zei iets.

Hij wil dat je meekomt, zei Gary met een voorzichtige stem die me vertrouwen in hem moest geven. Hij zal je je kamer laten zien.

Ik pakte de tas en toen die bewoog kwam er een beetje stank uit. Jezus, verdomme, de potpourri was uitgewerkt. Misschien was de inhoud gaan zweten door het nylon. We gingen een paar treedjes op naar de achterkant van de hut, weg van het water, richting de berg. Ik kon het niet helpen, maar ik vroeg me af of het mijn moeders kamer zou zijn. Aan onze linkerkant lag de groentetuin waarin ik geboren was – vraag me niet hoe ik dat wist, ik wist het gewoon. Delen van me waren daar begraven, en het verwilderde, vuile lapje grond riep me toen ik langskwam.

De man kletste maar door onder het lopen, meer tegen zichzelf dan tegen mij. Ik wilde omkijken om te zien of Gary daar nog steeds zat te roken, maar ik deed het niet.

De kamer was nogal klein en kaal en behoorlijk smerig – op het bed lag een versleten deken met donkere vlekken erop. Boven het bed hing een houten kruisbeeld waar ik de rillingen van kreeg. Gele vlekken van insecten bevlekten de groezelige muren, een niet aangestoken muggenspiraal stond op het kozijn.

De oude man zei een paar dingen en ik knikte en glimlachte. Er leken geen vragen bij te zijn, dus vond ik het ook niet nodig iets terug te zeggen. Hij wees naar mijn haar en ik pakte het eindje van mijn vlecht en deed of ik lachte. Het was lang geleden dat mijn stem dat had gedaan en het klonk onecht en vreemd in het smerige kamertje. De man probeerde mijn tas van me over te nemen, maar ik hield hem vast en zei, *ochi, ochi* – grappig genoeg geleerd van Mike's Bikes – mijn enige woordje Grieks.

Toen probeerde ik te vragen waar de wc was en hij grinnikte. Ik hurkte om te laten zien wat ik bedoelde en hij bulderde van het lachen en wees om de hoek van het gebouw. Ik was blij dat we het met elkaar konden vinden. Per slot van rekening had hij mijn moeder misschien gekend. En Paul, en mij.

Ik zette de tas op bed en liep de hoek om en plaste half staand omdat de wc smerig was van de stront en wat allemaal nog. Het stonk en er was geen licht en geen papier om je af te vegen.

De zee likte zowat aan de wc-deur. Het water was donkerder geworden en het zand strekte zich eindeloos uit als in een folder. Achter me rezen kleine bergen op uit de duisternis. De lucht zou daar koel en schoon zijn.

Ik dacht aan spoken, Gary, zijn plotselinge Griekse afkomst, en voelde mijn verlies echt in me neerploffen. De binnenkant van mijn mond was verteerd door de schok.

Toen ik terug in de kamer kwam zat een van de kinderen geknield op bed en probeerde mijn tas open te trekken. Jezus! Ik kon het niet geloven. Ik had de sleutel wel, maar toch.

Ik schreeuwde tegen hem dat hij moest oprotten en hij vertrok

zijn gezicht en begon hard te huilen. Hij wist niet dat Jimmy erin
zat. Hij huilde en toen huilde ik ook en ik ging zitten en zag hoe
smerig mijn handen waren, als van een oude zigeunerin, en besefte
in wat voor een ander leven ik voor het laatst de moeite had genomen ernaar te kijken.

Gary kwam en bleef in de deuropening staan, zijn huid leek al
bruiner geworden en zijn ogen waren rood alsof hij had gehuild en
verwachtte nog meer te gaan huilen.

Ik heb iemand een mep gegeven, zei ik hardop, met een steen.
Ik heb hem misschien verwond.

Hij glimlachte droevig alsof het grappig was. Mike's Bikes? zei
hij en maakte een wegwerpgebaar met zijn hand. Maak je geen
zorgen. We betalen hem om je hiernaartoe te brengen en dan ver-
pest hij het nog en kan je het laatste eind lopen.

Ik wilde – begon ik te zeggen, en brak af toen ik begreep wat hij
gezegd had. Ik schoof een eindje van hem weg.

Ik heb je nooit iets gedaan, zei hij zacht, en sloeg zijn handen
ineen alsof ze in opstand zouden komen tegen zijn grote, voorzichtige lijf.

Is Harris hier ook? vroeg ik en hij keek ontsteld en raakte de
deur zachtjes aan met het topje van zijn duim.

Waarom vraag je dat? zei hij.

Geef gewoon antwoord.

Mijn stem was hard, dat wist ik. Het ging nu om Jimmy en mij.
De rest kon ontploffen.

Ik ben niet bang voor je, Gary, zei ik. Vertel me gewoon waar
Harris is.

Gary zei, misschien is hij hier, Amy. De waarheid is dat ik het
niet weet – zo liggen de zaken er echt voor, ik zweer het. We moeten snel nadenken...

Waarom? Over wat?

Over wat we doen als hij er is.

Ik doe niets met jou, zei ik, ook al wist ik al dat hij me zou negeren. Ik heb genoeg gedaan met jou. Ik ben het spuugzat genoegen
te moeten nemen met zo'n verrot beetje informatie...

Ik huilde en toen niet meer.

Ik weet het, zei hij. Vertel me niet wat ik al weet.

Hij kwam deze keer niet in mijn richting, maar hij begroef zijn hoofd diep in zijn handen, staande in de deuropening.

Waar is Jimmy? fluisterde hij en zijn stem klonk gespleten, scherp als een snede.

Nergens, zei ik, maar terwijl ik het zei wierp ik ongewild een blik op de tas die op het bed stond.

Hij kwam naar me toe en ik kon hem ruiken. Voor het eerst merkte ik dat zijn armen niet alleen dik waren, maar ook sterk, de spieren kromden als slapende dieren onder zijn huid. Hij ging naar het bed en legde zijn handen op de tas en ik zag dat hij met zijn pols over zijn ogen streek.

Goed gedaan, zei hij tegen me, dat je hem hebt meegebracht.

Rot op, zei ik – ik wilde hem straffen omdat hij me liet inzien dat alles in mijn leven buiten mijn controle had gelegen, al volledig gevormd was voor het gebeurde, maar verborgen achter grote rollende brokken tijd.

Amy – hij duwde zijn handen in mijn warrige, vette haar, Amy...

Ik legde mijn mond op zijn schouder en ik beet, niet hard maar ook niet zacht. Hij liet me begaan, hij kromp niet ineen of deinsde terug.

Ik ben het zat dat jij alles weet, zei ik. Ik trok zijn hemd opzij en beet nog eens en deze keer voelde ik het vlees knappen, en zijn adem stokte en ik proefde bloed.

Natuurlijk ben je dat, zei hij en nu huilde hij.

Er begon al een mug te zoemen. De dingen vloeiden weer tussen ons.

Gary zei dat het belangrijk was om gewoon te doen, dus liet hij me onder het afdak eten samen met de kinderen en de oude man en de dikke vrouw die waarschijnlijk jong was maar een lijf had dat afzakte naar ouderdom, zonder dat ze er iets aan kon doen.

Ik vroeg hem op zeker moment of ze zijn zus was of zelfs zijn vrouw, maar hij fronste zijn voorhoofd en zei, ik kom hier niet vandaan. Mijn zus woont in Athene.

Die met de baby? zei ik en zijn gezicht stond verrast.

Nu al niet meer zo'n baby.

Ik raakte gewend aan de wijn en de oude man bleef me maar bij-schenken, maar ik kon niet eten. De kinderen gooiden sparappels onder de bierkratten en haalden ze er weer onder vandaan. Het leek een spelletje dat ze vaak deden.

Het kleinste kind, een meisje met staartjes, kwam naar me toe en stopte een sparappel in mijn hand. Ik sloot mijn vingers erom-heen en ze werd boos toen ik niet wilde loslaten. Ze stampte met haar voet en iedereen lachte toen ik hem weer teruggaf. Ik kreeg het pas voor elkaar nadat ik het een keer of vijf geprobeerd had. Misschien was het niet te zien, maar ik merkte dat ik dingen niet meer kon loslaten.

Ze weten wie je bent, zei Gary, en legde een arm om me heen, drukte me tegen zich aan, Panos herinnert je zich. Het blonde en-geltje, noemt hij je.

Ik ging die avond één of twee keer terug naar mijn kamer om de tas te controleren. Hij stond er nog zoals ik hem had achtergela-ten, op het bed, omgeven door niets. Ik had hem graag snel even geknuffeld, maar ik moest het doen met een knuffel van de tas.

De stank hinderde me niet meer, net zoals je eigen stank je niet hindert, je immuun bent voor je eigen pis en stront, de trage bruine dufheid van je eigen bloed.

Ik hunkerde er verschrikkelijk naar om Jimmy's gezicht te ontbloten om er nog een laatste keer naar te kijken, maar ik was bang dat het niet zo goed bewaard zou zijn gebleven in de hitte en ik wilde hem niet zien als hij er anders uitzag of lelijk of be-dorven.

Wat ben je van plan te gaan doen? vroeg Gary me in mijn kamer.

Doen?

Met hem.

Mijn vingers en hart bibberden zo dat ik niet kon antwoorden. Ik gaf een korte snik en hief mijn hand op om te voelen of er tra-nen waren. Het was inderdaad nat. Ik was het spoor bijster of ik de hele tijd huilde of niet.

Zeg zijn naam, zei ik, zeg wat je wilt zeggen. Doen met wie?

Ik wist dat het hem te veel pijn deed om het te zeggen. Ik wist het, maar ik wilde dat hij pijn voelde. Ik had die tas gedragen. Ik had die baby gedragen.

Zeg het me, smeekte Gary nu, ik weet dat je iets wilt doen. Zeg me wat het is en dan help ik je, voor Harris ons vindt.

Is hij dan hier?

Ik heb je al gezegd dat ik het niet weet. Ik wil hem niet in de buurt van Jimmy...

Gary stokte, beverig. Hij drukte zijn vuist in zijn mond, keek de hele tijd de kamer rond, alsof hij probeerde te bedenken wat hij met mij en onze baby zou doen.

Ga je hem begraven? – hij sprak heel vriendelijk tegen me alsof ik een onschuldig mens was met goede ideeën – is dat wat je kwam doen? Geef antwoord, Amy, ik moet het weten.

Waarom moet je het weten?

Hij is ook van mij.

Iets in mijn binnenste was aan het zinken. Hij is van niemand, zei ik. Hij is van niemand meer. Hè, Jimmy? zei ik tegen de tas.

Gary ging op een stoel tegen de muur zitten en krabde ergens aan met zijn nagels. Misschien was het kaarsvet dat van een kaars was gedrupt. Misschien wilde hij de muur kruimeltje voor kruimeltje afbreken.

Ik moet je iets vertellen, zei hij ten slotte.

Ik wil het niet weten, zei ik snel, maar hij vertelde het me toch.

Wanneer ik nu terugdenk aan het afgelopen jaar, wat komt dan het eerst in me op?

Ik zou graag willen zeggen dat het de trotse, sterke bloei van mijn liefde voor Gary was en de geboorte van ons prachtige kind, maar nee, het is het lopen door die kleurloze straten, werk en knoflook en vet dat aan mijn shirt blijft plakken en mijn haar – lopen om Harris te ontmoeten in een café of kamer of tearoom, waar hij achterover in zijn stoel zakt en lacht en de geheimen vertelt die ik wil horen.

Hij heeft nooit iets van mij afgenomen. Hij heeft me mijn leven teruggegeven. Hij heeft zin gegeven aan wat ik nooit heb geweten dat ik had. Hij verzon zulke schitterende verhalen.

Je moeder heeft haar eigen kind vermoord, Amy.

Paul? zei ik. Dat is niet waar.

Gary wrong in zijn handen en staarde naar de grond.

Kijk me aan, zei ik – en hij keek langzaam op en ik zag dat het waar was.

Ze heeft hem tegen een muur gegooid. Ze heeft zijn schedel ingeslagen.

Deze muur?

Nee. Niet deze muur.

Waarom?

Gary slaakte een lange zucht. Het is niet aan mij om dat te zeggen. Maar ze was toch ziek, je moeder? Dat weet je, Amy. Dat heb je altijd geweten. Daarna heeft ze zelfmoord gepleegd.

Ik staarde hem aan. Ik wil het niet weten, hoorde ik mezelf zeggen.

Wat je wilt weten en wat je weet zijn twee verschillende dingen.

Hou je kop, zei ik, en toen begonnen de gedachten door mijn brein te razen. Weet Harris dit allemaal?

Gary bleef me aankijken. Hij was Pauls vader, Amy.

Maar...

Hij keek me lang aan, maar hij probeerde niet dichterbij te komen. Ik denk dat je dat allemaal wist, zei hij.

Ik zei niets. Ik kon niet meer in mijn eigen hoofd kijken. Het enige wat ik zag was zijn grote, bezorgde gezicht dat naar me keek. En mijn moeder. En hoe ik op haar leek.

Ze heeft hun kind vermoord, zei hij. En toen is ze de zee in gelopen.

Hier in Diakofti? vroeg ik, ook al wist ik het.

Hier. Een stukje verder het strand af, voorbij – je weet wel, voorbij de pijnbomen.

Ik zei niets.

Hij aanbad Jody, maar ze wilde hem niet, wilde zijn kind niet. Ze probeerde het kwijt te raken, takelde zichzelf nogal toe, maar het bleef zitten en werd geboren...

Ik hielp haar met Paul, zei ik plotseling en het was alsof ik mijn eigen kleine stemmetje hoorde, mijn groot-meisje-helpt-op-het-strand-stem.

Gary glimlachte, toen werd zijn gezicht weer ernstig. Toen hij jou kwam opzoeken in de stad, heeft hij je veel leugens verteld, Amy. Hij gaf niet om jou of om wat je dacht, hij wilde alleen maar dat je naar zijn huis zou blijven komen. Hij zou alles doen om je in de buurt te houden. Ook al kon hij het soms nauwelijks verdragen naar je te kijken. Ik dacht dat je dat wel moest weten – dat je hem aan haar deed denken?

Soms weet je dingen, zei ik, maar doen ze er niet toe.

Ik ging naast Jimmy zitten op het bed, mijn lijf beefde, mijn tanden klapperden alsof ze niet meer wilden stoppen.

Waarom – wat wilde hij – wat wilde hij doen? vroeg ik.

Gary gaf geen antwoord.

Wat? zei ik nog eens, harder.

Nadat – Jimmy – werd geboren, ging Gary door, maakte ik me zorgen. Dat was zo niet gepland. Hij heeft ons voor de lol bij elkaar gebracht, begrijp je, om je in de buurt te houden. Seks was oké – hij dacht, nou, hij vond dat eigenlijk wel grappig – maar het was niet de bedoeling dat wij van elkaar zouden gaan houden en het was zeker niet de bedoeling dat wij een kind zouden krijgen, en dan nog...

Ik keek naar hem en zag hoe slecht en hard en hopeloos liefde was.

Een jongetje, ging Gary door en stopte, kon niet meer spreken, zo hard huilde hij.

Het spijt me, fluisterde ik. Ik begreep zijn verdriet, maar ik was niet in staat naar hem toe te gaan en hem aan te raken.

Wanneer ik aan Jimmy's laatste uren denk, is het een andere tijd, gescheiden en afgesneden van deze tijd. Eerst was ik een stiekem meisje – ik leidde een bekrompen leventje met mijn man, hakte en snipperde op mijn werk, pijpte af en toe een man uit het park, liep door de straten van de grijze stad, heimelijk en besmet.

Toen vond Harris me – wie kan het schelen waarom of hoe? – en toen Gary. Na een vrijpartij liep zijn zaad uit me en kon ik het niet snel genoeg weer terugduwen. Toen was ik een moeder en werd liefde me op een schoteltje aangeboden. Liefde en geluk.

Gary zag wat ik dacht. Hij ziet mijn gedachten voor ik ze zie.

Hij ziet me hier zitten, mijn handen gevouwen in mijn schoot, en hij zegt, kijk eens naar jezelf, Amy.

Ik weet het, zeg ik.

Je bent veranderd.

Ik weet het.

Veranderd en gegroeid, dacht ik, maar daardoor kom je alleen maar open te staan voor meer verdriet.

Gary weet het. Hij weet wat mijn plannen zijn. Ik knik naar hem voor hij iets kan zeggen.

Je moet hem niet daar begraven, zegt hij, en ik weet dat hij de groentetuin bedoelt met zijn zwarte, omgespitte aarde en herinneringen aan mijn eerste adem.

Ik bloos.

Je zou het gat niet diep genoeg krijgen – het is niet gemakkelijk, een graf graven, Amy, daar heb je geen idee van – hij zou, hij zou – nou, hij zou gevonden worden de eerste keer dat Panos zijn aardappelen rooit.

Ik wil hem niet begraven, zeg ik, ik wil...

Wat?

Hij wacht. Ik begin weer te huilen en nu komt Gary naar me toe en neemt me in zijn armen en houdt me stevig vast als in een liefdesverhaal en ik probeer er korte woorden uit te gooien en uit te leggen wat ik wil doen met zijn en mijn kind.

Ik wil hem ergens leggen waar zijn gezicht...

Gary pakt mijn schouders en kijkt me aan.

Zijn gezicht?

Waar zijn gezicht niet bedekt hoeft te worden.

Gary zegt dat hij een plek weet.

Hij zet de tas op de grond, waar een dunne bruine mat ligt met opgekrulde randen. Hij zegt dat hij bij mij op mijn kamer wil blijven vannacht.

Dat wil ik niet, zeg ik, maar hij zegt dat hij me niet achterlaat en als hij zijn Griekse kleren uitdoet en met zijn dikke, naakte lijf krakend naast me in bed stapt, dan is het bijna alsof we thuis zijn en al die slechte dingen niet tussen ons in zijn gekomen.

Met gesloten ogen kan ik mijn kleine jongen nog zien in zijn kersenhouten wieg, zijn armpjes boven zijn hoofd, gemakkelijk ademend.

Harris is langsgekomen, zeg ik, die middag – de middag dat Jimmy...

Ik weet het, fluistert Gary, ik weet het...

Zijn handen raken mijn gezicht aan, maar ik trek me terug. Hoe weet je dat? vraag ik, hoe kan je...?

Ik ken je, zegt hij, ik weet wanneer je dingen verzwijgt. Ik kan de waarheid horen tussen de woorden die je tegen me zegt.

Ik heb niets gezegd tegen je...

Ik weet het.

Jimmy's dood komt nu naderbij, een donkere vorm die over ons heen beweegt, naast ons, in ons. Ik wil het. Ik wil alles van Jimmy hebben dat wordt aangeboden.

Hij is gestopt met ademen, zegt Gary, en mijn hart draait een slag – wiegendood...

Ze weten het niet, zeg ik snel. Ze hebben hem niet onderzocht of opengesneden.

Tja, zegt hij, jij hebt hem meegenomen – waar of niet, Amy?

Hij is niet gestorven omdat hij stopte met ademen, zeg ik tegen Gary, denkend aan zijn zweet en mijn geschreeuw en de slaap waar hij in gleed, gewoon om me een plezier te doen.

Gary raakt mijn lichaam aan, houdt delen van me vast, gaat dan over naar andere delen. Hij legt zijn hand op mijn achterste, laat hem zakken tot waar mijn dijen zouden moeten zijn – alleen al die dingen hebben me al lang geleden verlaten. Mijn kut is iets uit het verre verleden. Ik zal mijn lichaam nooit meer terugkrijgen, dat weet ik zeker.

Harris, zeg ik tegen hem, tegen mezelf, probeerde te helpen.

Harris, zegt hij, heeft nog nooit in zijn leven geprobeerd te helpen.

Wat?

Je hebt me wel gehoord.

Mijn gezicht is nu gewend geraakt aan de tranen die erover lopen. Gary leunt op zijn elleboog om de muggenspiraal aan te steken en blaast de kaars uit. Ik schuif naar hem toe in het nieuwe donker, uit gewoonte, niet uit verlangen.

Ahh, zegt hij, en wrijft over mijn schouders – zo hoort het. Dat is beter. Mijn meisje, mijn Amy, mijn liefde.

Hij merkt dat ik een bh draag in bed en hij raakt mijn borsten voorzichtig aan. De aanraking doet de melk eruit springen, een bruisend geprikkel, een gulzige pijn, die nu afneemt.

Arme meid, zegt hij, en hij laat een hand tussen mijn benen glijden, niet op een seksuele manier, maar alleen zoals ik het zelf zou doen, geruststellend.

De stilte tikt in onze oren.

Jimmy is nu bij ons, zegt Gary en ik weet niet hoe ik hem moet antwoorden. Er is geen antwoord. Ik weet niet wat ik moet denken – over Harris, over alles.

Jimmy's dood raast ons voorbij, verschrikkelijk, maar probeert weg te gaan.

Wat wilde hij? vraag ik de dikke man als we tegen elkaar aangedrukt liggen in het donker.

Wat Harris wilde? herhaalt hij terwijl tijd de lucht vult. Hij haalt adem, denkt erover na. Wraak nemen op Jody, zegt hij ten slotte – en bange gedachten kruipen langs mijn ruggengraat omhoog. Revanche. Sport. Mij dingen laten doen...

Dingen?

Met jou. Dingen met jou. Je moet beseffen, Amy, dat hij een toeschouwer is.

Ik mocht hem graag, zeg ik eenvoudig.

Ja, dat is waar.

En dus? Bedoel je te zeggen dat hij nu misschien hier is?

Gary zegt niets, trekt me dichter naar zich toe.

Geef antwoord.

Ik weet het niet, zegt hij uiteindelijk, ik begrijp hem niet, Amy. Ik ken hem nog niet zo lang.

Jezus – ik voel mijn hele lijf verkrampen – Jezus, Gary...

Hij gaat verliggen, schuift zijn armen naar boven zodat ze me helemaal omringen. Ik ruik zijn nek en borst en de vertrouwde bittere heetheid onder zijn armen.

Heel kort maar, fluistert hij, beschaamd en opgelucht. Ik heb hem hier op het eiland ontmoet, een jaar geleden.

Maar – ik trek mijn gezicht weg, probeer zijn ogen te vinden in het donker.

Ik ben Grieks, Amy, zegt hij, ik ben niet Engels. Ik heb het goed verborgen, hè?

Al mijn gedachten waren nog steeds vervuld van Jimmy. Wat kon het mij schelen wat Gary was? Ik dacht aan alle keren dat ik hem raar had gevonden, de afgemeten manier van spreken, de keren dat hij niet leek te weten wat iets was – het kind dat hij werd in winkels, op straat. Ik wist niets van de wereld. Hoe kon ik dingen die anders aan hem waren, vergelijken met dingen die ik niet kende?

Ik heb tegen je gelogen, zei Gary. Nee, niet gelogen. Weggelaten. Je hebt er nooit naar gevraagd. Ik doe het goed als Engelsman.

Maar...

Mijn moeder was Engels – uit Birmingham. Ze is verliefd geworden op mijn vader tijdens een vakantie, het gebruikelijke verhaal. Ik ben opgegroeid in Athene.

Ik zeg niets, kijk hoe de beelden veranderen en me uitlachen in mijn hoofd.

Oké, zegt hij, van mijn dertiende tot mijn achttiende heb ik in Engeland gewoond. Zo'n lullig kostschooltje – haar familiegeld.

En dan hoor ik het. Hij zegt een woord als lullig maar hij pronkt ermee als een buitenlander, ik voel me er ongemakkelijk bij, alsof ik hem niet kan geloven. Toch is het me nooit eerder opgevallen.

Hij wacht op een klap.

Het is niet zo moeilijk, zegt hij langzaam, om je dit allemaal te vertellen. En toch is het allemaal voorbij. Nu je dit weet, kun je me verlaten.

Ik zweeg.

Is het niet zo, Amy? Het stelt je toch in staat te vertrekken?

Ik wil het hele verhaal horen, zei ik. Het was de tweede keer dat ik een verhaal had gehoord. Ik herinnerde me het glijdende gevoel toen ik in Harris' kamer zat, meer dan een jaar geleden, zijn stem die beelden in mijn hoofd beschreef, zijn handen die gebaarden om de dingen waar of redelijk te laten lijken, mijn hoofd dat op de bank in zijn kamer rustte.

Ik ben teruggekomen, zei Gary. Ik ben rechten gaan studeren in Athene, heb een beetje voor mijn vader gewerkt – hij was een huis aan het bouwen op het eiland – dit eiland – voor zijn gezin, alleen wilde ik er niet in wonen. Koppig, weet je wel? Ik was van plan naar Amerika te gaan – in zo'n groot bedrijf terecht te komen met metershoge ramen en een prachtig uitzicht. Thuis had mijn vader een café en mijn moeder hielp hem. Haar familie vond het vreselijk dat ze met hem was getrouwd en haar schoonmoeder vond haar vreselijk. Ze probeerde er het beste van te maken. Ze zei dat andere mensen het slechter hadden. Ik kan me wel een ander leven voorstellen, zei ze, maar wat heeft dat voor zin?

Net als mijn moeder, zei ik.

Nee, zei hij. Jouw moeder heeft dingen veranderd. De mijne bleef waar ze was. En het huis werd nooit afgemaakt en mijn moeder had alleen schapen als gezelschap. In de zomermaanden zagen ze elkaar niet, en in de wintermaanden dronk hij en metselde bakstenen op elkaar. Ze hadden verdorie niet eens een woonkamer. Ze sliep met kippen die in en uit liepen, op een vloer van aangestampte aarde.

Terwijl Gary me die dingen vertelde, besefte ik dat niemand me veel waarheid had verteld in mijn leven. Wat had ik gedaan om zoveel leugens te verdienen, zoveel geloofwaardige verhalen?

En? zei ik.

En toen deed ik iets dat ik niet had moeten doen.

Hij stopte met praten en ik hoorde zijn ademhaling in het donker.

Iedereen doet wel eens iets, zei ik.

Nee, zei Gary. Het was echt erg.

En?

En Harris was – Harris kende mijn vader, Harris wist wat ik had gedaan. Hij heeft het aan niemand verteld, hij was ongelooflijk gul met geld. Hij nam me met zich mee...

Waarom? zei ik snel.

Waarom? fluistert Gary. Wil je niet weten wat ik heb gedaan?

Het kan me niet schelen wat je hebt gedaan. Waarom deed hij dat allemaal?

Daar kan ik geen antwoord op geven, dat weet ik niet. Hij heeft me meegenomen naar Londen.

Hij huivert en ik voel dat hij huilt.

Het is goed, zeg ik, je hoeft niet...

De hele tijd – begrijp je Amy – zei Harris dat ik je zou verliezen als je erachter kwam.

Wat was het dan, een of ander misdrijf?

Hij zwijgt, kust mijn wangen. Het was een misdrijf, ja, dat was het. Het was een misdrijf.

Het kan me niet schelen wat je hebt gedaan, zeg ik nog eens omdat ik het niet wil horen en bang ben en ik weet dat we alletwee weer op adem liggen te komen, zo bang voor elkaar in dit bed en al die wilde feiten die rond ons cirkelen.

Ik was eenzaam, zegt hij, ik had nooit veel geluk gehad met meisjes. Hij lacht, kust me weer. Ik was – dat zie je toch – een dik-zak.

Je hebt een fantastisch formaat, zeg ik snel, zoals hij weet dat ik zal doen.

Hij huilt een beetje. En ik blijf luisteren als hij zegt, ik heb die – persoon – ontmoet...

Ik begin te lachen.

Nee, zegt hij, je begrijpt het niet. Ik heb een jongen ontmoet. Ik was in een bar voor mannen, voor – jongens.

Val je op – jongens?

Hij aarzelt. Ik viel op – iedereen die...

Wilde je...?

Ja, Amy, ik wilde neuken, is dat zo erg?

Ik lach nog een beetje en dan stop ik ermee uit respect voor hem.

Stilte. De zee ruist dichtbij in onze oren. Onze baby, de tas, het bed.

Ik wist dat je zo zou reageren, zei hij.

Hoe?

Kalm, dat je het niet erg vond, wat ik heb gedaan...

Als je dat wist...

Waarom heb ik het je dan niet verteld? Waarom heb ik het je niet verteld? Waarom? Waarom? zei hij tegen zichzelf, en terwijl hij erover nadacht, duwde ik mijn hoofd tegen zijn borst, rook de nabijheid van zijn paar onopvallende borstharen.

We hebben allemaal wel eens iets gedaan, zei ik.

Ik dacht dat ik – ik wist het niet. Ik was er in het algemeen slecht aan toe.

En dus wat? Je hebt hem geneukt?

Amy, Jezus, ik heb hem geneukt. Ik heb hem mij laten neuken. Wat vind je daarvan?

Ik lachte weer. Voor het eerst sinds lang, leek wel – lachte ik echt. Was het lekker? vroeg ik.

Hij verstrakte. Je vindt het niet erg?

Dat je hem geneukt hebt? Nee.

Hij zei dat hij ouder was, maar hij was, nou ja, hij was jong. Te jong, begrijp je? Toen vroeg hij om geld – of anders zou hij mijn ouders foto's laten zien – aan iedereen laten zien...

Had hij foto's?

Gary wreef zijn kin over mijn haar. Dat gebeurt heel vaak hier. Het is veel voorkomende zwendel. Verschrikkelijke schande voor mijn vader en mijn moeder.

En dus heb je betaald?

Harris heeft betaald.

Maar hou je dan van jongens?

Gary zweeg, hield me tegen zich aan. Na een tijdje zei hij, Harris dacht dat hij safe zat, door mij met jou in contact te brengen. Dacht dat ik niet van meisjes hield en dat jij – zo mooi met je grote ogen en blonde haar – nooit verliefd zou worden op een dikzak...

Ik begrijp het niet.

Ik denk van wel.

Dus – nou, en toen wat?

Harris had met me te doen. Betaalde die stomme knul zijn geld. En bood nog meer aan – de boekwinkel. Melly Hill. Hij beweerde dat hij daar al jaren af en toe woonde. En toen gebeurde dat ongelooflijk verdomde toeval – toen kwam die betoverend mooie dienster ons leven veranderen...

Waarom heb je me dat niet allemaal verteld? vraag ik Gary nadat er een paar minuten zijn verstreken en het gewicht van ons kind dat is weggegaan nog steeds aan mijn hart trekt.

Hij zou je alles verteld hebben...

Had je dat erg gevonden?

Eerst niet, helemaal niet – maar toen...

Toen?

Ik mocht je graag...

Ik was een slet, zeg ik.

Nee, zegt hij, je was zo...

Maar zelfs hij kan niet op het juiste woord komen.

Ik lik over mijn lippen, proef het donker en hoe de dingen zijn veranderd.

Wat is dat getik? vraag ik.

De boten, zucht hij. Vissersboten. Panos heeft drie zonen. Allemaal vissers.

Waar zijn ze nu?

De zonen? In de buurt.

Ik heb ze niet gezien.

Amy, zegt hij.

Ik verschuif want het bed is hard en klein als een kinderbed. Ik vraag me af of God naar beneden kijkt naar die hele biecht en lacht. Ik vraag me af wat die geur is – talg? Voetenzweet? Een mug zoemt langs.

Ik voelde me ellendig, om de hele tijd zo tegen je te liegen, zegt Gary.

De tijd gaat voorbij en er is iets verdwenen, langs ons gevlogen, en het is geen mug.

Jullie hebben alles geweten, zeg ik hem, jij en Harris. Wisten jullie ook dat onze baby zou sterven?

Ik weet het antwoord als ik naar zijn simpele, eerlijke stilte luister.

Ik heb meer slechte dingen gedaan dan jij, zeg ik na een tijdje.

Ik hou van je, zegt hij. Ik hou zoveel van je dat het pijn doet. Hij zei dat je me zou verlaten als je het wist.

Ik zou je niet hebben verlaten.

Ik hield van Jimmy, zegt hij.

195

Dat weet ik. Ik weet dat je dat deed.

Harris kon dat niet uitstaan, zei hij en ik voelde zijn grote lij
nog meer tranen vergieten.

Ben je bang dat hij komt? vroeg ik.

Harris? Nee, niet 's nachts.

Als hij komt, wat zal hij dan doen?

Ik weet niet wat hij al gedaan heeft. Hoe moet ik dan weten wa
hij zal doen? Ik wil hem niet langer in mijn leven. Ik wil hem nie
in jouw buurt.

Ik wil hem niet in de buurt van Jimmy, zeg ik.

We vertrekken zodra het licht wordt. Voel je je al beter?

Het gaat wel, zeg ik, maar hij blijft, schuift dichterbij, drukt m
zo stijf in zijn armen dat ik haast niet kan ademen. Zou het gee
mooie manier zijn om te sterven – in de armen van mijn dikk
man?

Vroeger mocht ik hem zo graag, fluister ik.

Ik weet het, zegt hij, en drukt zijn lippen op de bovenkant va
mijn hoofd. Daar kon jij niets aan doen.

Ik dacht – weet je – ik dacht dat hij van mijn moeder hield. Niemand anders hield van haar.

Jij hield van haar.

Nee, zeg ik, daar heb ik de kans niet voor gekregen. Ik den
niet aan haar met liefde. Ik denk aan haar als een meisje, los va
mezelf.

Voor ik kan huilen, legt hij een hand over mijn mond, strijk
over mijn hete, natte ogen. Ik weet een plek, fluistert hij, een hee
goede plek voor onze baby.

Hij was een wonder, hè? zeg ik, alsof mijn hele leven naar di
moment is toegestroomd.

We krijgen een nieuwe baby, zegt Gary en ik probeer hem uit t
leggen dat daar geen ruimte voor is in mijn toekomst, dat er gee
sprake van is dat ik Jimmy op dit moment zo zou kunnen verrade
maar dat is tijdverspilling. Hij slaapt, ademt zijn tranen op mij
schouder.

Later haal ik een van zijn armen van me af zodat ik mijn arm ka
uitstrekken in het donker. Ik trek de tas gemakkelijk dichterbij aa
het nylon handvat, hef hem op en leg hem op het bed boven o
ons.

Ik slaap voor de laatste keer met dat lichte gewicht op me. Ik wil het voelen, wil dat gewicht op me voelen drukken, maar het lukt me bijna niet. Het wordt elke minuut lichter.

We vertrokken in de vroege ochtendschemering op zijn motor – want ik merkte dat hij motor kon rijden zoals de rest van de Grieken, overhellend in de bochten, als vanzelf een voet in het stof zettend als we stopten.

De weg voerde omhoog, voortdurend door wolken van stof. Nu en dan een lapje cement, dan niets. Ik hield me aan hem vast, hij leek de weg te weten.

De tas stond tussen ons in, drukte tegen mijn maag, zijn rug. Hij was veranderd in een klein, licht voorwerp, nauwelijks aanwezig. Gary zei niets over de verschrikkelijke stank van ons kind. Nu dat we alletwee alles wisten, merkten we dat we niet veel konden praten.

Ver weg nu, glinsterde de zee. Je kon niet zien waar hij stopte en het blauw van de hemel begon.

Toen rook ik iets anders, behalve Jimmy's geur dan.

Tijm, zei Gary, zijn hoofd naar achter gedraaid zodat ik de woorden kon horen. Tijm, Amy.

Het was overal, het strekte zich uit voor ons, onder ons, oneindig.

Eerst kijk je en denk je dat je alleen maar kleine rotsen ziet – overal kleine, grijze uitstekende rotsen tussen de groenige begroeiing.

Dan dwing je jezelf te kijken en begin je een verband te zien in die grijze stapels. Dikke, afgebrokkelde muren komen op je af – een halve toren, een dak, een binnenkant van iets waar het dak van afgeblazen is. Grijze vormen die uit de ochtend komen, half binnen en half buiten de tijd.

Gary zet de motor af en draait zich om, om naar mijn gezicht te kijken. En de wind gaat liggen en mijn oren voelen zacht van het niets.

Ze bouwden hun vestingen hoog op de rotsen, zegt hij, maar de piraten bleven komen. Barbarossa plunderde de vesting en vermoordde iedereen – mannen, vrouwen, kinderen. Hier komt niemand, zelfs geen toeristen, omdat het er zogenaamd spookt.

Ik kijk om me heen. Er groeien dikke madeliefjes in de zon, verschillend gekleurde mossen op de grijze rotsen, een hagedis schiet langs.

Ik vind het een prachtige plek, zeg ik, knipperend.

Omdat je hier al eens geweest bent.

Ik ben hier nooit...

Er zijn fresco's in de kerken, zegt hij.

Hij legt de motor in het gras en pakt mijn hand en ik volg met de tas, klauterend en schuifelend door het papierachtige gras en kamille en brokken steen.

De lucht houdt zijn adem in, een opgerold wezen dat ons geen kwaad toewenst.

We zouden hem in de kerk kunnen leggen, zegt hij.

Hij knijpt in mijn hand tot het pijn doet.

We kiezen de verst verwijderde kerk met de zwartste, smalste ramen en hij trekt Jimmy en mij naar binnen. Meteen, alsof ze ons verwacht, zijn er fragmenten van het zorgelijke gezicht van de Maagd te zien, zwart van ouderdom, haar handen tegen haar borst gedrukt. Ze trekt haar lippen op en laat haar tanden zien – kleine witte tanden met spleetjes. Angst grijpt me bij de keel, maar Gary pakt me bij mijn schouders, laat me stilstaan voor haar.

We wachten en mijn hart staat op barsten.

Dan stormen de lichten op ons af – dof, blauwig grijs uit het stenige donker.

Ik geef een schreeuw en loop snel achteruit tegen de begroeide muur en het enige wat ik weet is dat we weer buiten zijn en dat ik naar lucht sta te happen.

Rustig maar, zegt Gary, rustig maar.

Daar leg ik hem niet in.

Oké, zegt Gary, oké.

Verder door ruïnes zonlicht.

Het kan me niet schelen wat je hebt gedaan, zeg ik tegen Gary. Je had alles kunnen doen. Dat had je moeten weten.

Je denkt niet redelijk als je een hekel hebt aan jezelf, zegt hij.

Ik kniel bij de tas en maak voor de eerste keer in vele uren het slotje open. De zilveren tanden wijken uiteen, mijn vingers raken onvermijdelijk iets vochtigs aan. Op het laken zit een groter wordende vlek, lichtbruin, bijna geen kleur, en doordat ik het opensla komt de stank natuurlijk in beweging.

Gary zit op een rotsblok met zijn handen voor zijn gezicht door zijn vingers naar me te kijken.

Ik laat hem helpen met het maken van de cirkel van stenen – twee spelende kinderen – en ik wil absoluut twee lagen hebben, veilig en elkaar overlappend, een klein huisje. Ik leg hem er alleen in en het is allemaal zo voorbij. Nog een laatste, diep verlangde aanraking.

Haal er nu nog een paar om hem te bedekken, zeg ik tegen Gary, gladde stenen.

Gary doet wat ik hem gevraagd heb, hoewel geen van de rotsen zo glad is – hun randen zijn scherp, gevlekt met schaduw.

Niet zijn gezicht, zeg ik, niets op zijn gezicht.

Niemand komt hier, zegt hij, omdat hij zich zo bang voelt.

Mijn hart brandt van verlies en verdriet. Ik wil er maar geen eind aan maken, maar ik hang gebogen over het stijve bundeltje dat daar op de grond ligt en ik zeg vaarwel. Nutteloze woorden zonder betekenis, maar alles wat we hebben.

Ik kan hem niet verlaten, zeg ik tegen Gary.

Hij zegt niets, dan zegt hij, dat heb je al gedaan.

We blijven daar even staan, tegen elkaar aangedrukt in onbeweeglijkheid. Dan brengt een plotselinge beweging me naar de grond en is het voorbij, is het al lang voorbij, en val ik op de stenen, trek ze eraf, trek het laken van het kleine lijfje.

Dat zou ik niet doen, zei Gary maar tegen de tijd dat hij de woorden had uitgesproken, was het al gebeurd en rustten mijn vingers in de stof rond zijn gezichtje dat verdwenen was, min of meer.

De zon werd heet. Ver weg was het geluid van een auto te horen.

Het hoopje stenen zag er heel gewoon uit toen we weggingen. Het had van alles kunnen zijn – een doodgewoon privé-plekje waar iemand had gevreeën of zich had ontlast.

Niet omkijken, zei Gary en dat hoefde ik ook niet – ik wist al dat liefde als een schaduw aan mijn baby's graf plakte. Ik huilde zo erg dat de hemel uit beeld was verdwenen. We liepen naar de zijkant van het kasteelachtige gebouw en keken in het ravijn – de steilste afgrond die ik ooit had gezien, en waar ik misselijk van werd alleen door te kijken.

Waarom is Jimmy gestorven? vroeg ik, maar het was een vraag voor de hele wereld, niet voor Gary.

Als de piraten kwamen, zei Gary, dan gooiden de vrouwen hun kinderen in dit ravijn. Alles, als ze maar niet verkocht werden als slaven.

We vertrokken op de motor – stof vloog op – op het moment dat de zon hoog stond.

Wat als hij ons is gevolgd hiernaartoe? vroeg ik Gary, maar hij antwoordde niet. Ik dacht eraan hoe vaak hij mijn vragen niet beantwoord had.

Hij had de tas aan het stuur gehangen en zonder dat ding tussen ons in kon ik hem steviger vasthouden, hem inademen in voor- en tegenspoed.